CYRIL LIGNAC

génération chef

CYRIL LIGNAC
génération chef

Collaboration rédactionnelle de Sophie Brissaud
Photographies de Mickaël Roulier
Stylisme de Emmanuel Turiot
Reportage de Philippe Vaurès-Santamaria

HACHETTE
Pratique

Que vous soyez gourmand, gourmet, fin connaisseur ou novice, il y en a pour tous les goûts : des grands classiques revisités aux plats du terroir sans oublier des associations tendance, vous découvrirez ici mes recettes fétiches. Je vous livre aussi tous les plats qui remportent un franc succès à la carte du Quinzième, mon resto qui a vu le jour suite à l'émission *Oui Chef !*. Et notamment ma soupe au chocolat dont je gardais précieusement le secret de fabrication jusqu'à aujourd'hui... Les chefs ne sont plus ce qu'ils étaient !

Mais ce livre, c'est aussi un éventail de recettes qui s'adaptent à toutes vos façons de recevoir : des accompagnements qui changent, comme mes courgettes poêlées à l'huile de vanille, des recettes à déguster sur le pouce, telles que mes brochettes de gambas aux litchis, ou encore des grands classiques que j'ai refaçonnés à ma manière, comme ce hachis Parmentier au canard et aux noisettes... J'ai aussi voulu vous faire partager ma cuisine coup de cœur inspirée des saveurs chantantes du Sud. À vous les tortillas, *briouattes* et autres *méchouias*... Sans oublier une sélection de recettes pour retomber en enfance ou cuisiner avec les plus petits. Et pour sortir des sentiers battus, lancez-vous dans des créations épatantes, qui se révèlent plus faciles que vous ne l'imaginiez !

Si j'avais un mot d'ordre ? Le plaisir avant tout : le plaisir de cuisiner mais aussi et surtout le plaisir de partager un bon dîner entre copains ou en famille.
Si j'avais un mot pour définir la cuisine ? La générosité aux fourneaux : c'est elle qui m'inspire et me guide au quotidien ; je la puise dans mes racines méditerranéennes et j'aimerais vous transmettre cette passion ainsi que mon amour des bons produits.
Et, enfin, si j'avais un souhait ? Que vous preniez autant de joie à réaliser mes recettes que j'en ai pris à les créer pour vous...

Cyril Lignac.

à David & Steve, avec qui je partage ma passion dévorante pour la cuisine,
et à toute l'équipe du Quinzième pour leur travail et leur dévouement ;
à Mathieu Jean-Toscani, avec qui j'ai plaisir à partager les émissions de cuisine,
pour ta gentillesse, ta confiance et cette amitié qui nous lie.

Sommaire

Des légumes,
rien que des légumes

Aubergines *alla parmigiana*

Pommes de terre grenaille sautées au thym et à l'ail

Soupe de pommes de terre, lait d'amandes

Purée de patates douces

Courgettes poêlées à l'huile de vanille

Salade de haricots verts, vinaigrette à l'œuf écrasé

Caviar d'aubergines à l'orange

Tarte aux cèpes, sauce au vin de noix

Fricassée de petits pois à la menthe

Aubergines *alla parmigiana*

Avec cette recette, c'est l'explosion des saveurs du Sud... J'adore les aubergines, qui sont pour moi la base de la cuisine méditerranéenne. Et quand elles sont gratinées avec du parmesan, c'est tout simplement un délice !

Les aubergines :

1 kg d'aubergines fermes

3 œufs

80 g de parmesan râpé

2 cuil. à soupe de basilic frais finement ciselé
    + quelques feuilles entières pour garnir

huile pour friture

100 g de farine

2 boules de mozzarella (de taille moyenne)

sel, poivre du moulin

La sauce tomate :

2 gousses d'ail

1 oignon

10 cl d'huile d'olive

1 boîte 4/4 de tomates pelées d'Italie

1 cuil. à soupe de concentré de tomate

1 bouquet garni (thym, laurier,
    romarin ou sarriette)

sel, poivre du moulin

Coupez les aubergines, sans les peler, en tranches fines dans le sens de la longueur. Salez-les sur les deux faces et laissez-les égoutter pendant 30 min dans une passoire. Séchez-les avec du papier absorbant.

Pendant que les aubergines dégorgent, préparez la sauce : pelez et hachez l'ail et l'oignon puis faites-les revenir dans l'huile d'olive pendant 3 min sur feu moyen. Ajoutez les tomates pelées, le concentré et le bouquet garni. Salez et poivrez. Faites cuire 30 min sur feu doux jusqu'à ce que la sauce soit bien réduite. Retirez du feu.

Battez les œufs en omelette avec 2 cuil. à soupe d'eau. Ajoutez la moitié du parmesan et le basilic ciselé. Poivrez.

Faites chauffer 2 cm d'huile dans une poêle. Farinez les tranches d'aubergines, tapotez-les pour retirer l'excédent de farine, puis trempez-les soigneusement dans le mélange aux œufs battus. Égouttez-les puis faites-les frire 3 min sur chaque face, jusqu'à ce qu'elles soient bien dorées. Égouttez-les sur du papier absorbant.

Préchauffez le four à 200 °C (th. 6-7). Garnissez le fond d'un plat à gratin de tranches d'aubergines. Étalez une fine couche de sauce sur les aubergines, recouvrez d'une couche d'aubergines et procédez ainsi jusqu'à épuisement des ingrédients, en finissant par une couche de sauce (3 ou 4 couches d'aubergines).

Coupez la mozzarella en tranches et posez-les sur la surface du plat. Saupoudrez du reste de parmesan et faites gratiner 20 min au four. Avant de servir, décorez de basilic frais.

Pommes de terre grenaille sautées au thym et à l'ail

Mon secret : soyez généreux sur le beurre, c'est lui qui va nourrir les pommes de terre au cours de la cuisson. Et, pour un dîner entre potes réussi, accompagnez-les d'une belle côte de bœuf, d'un poisson ou même tel quel : c'est délicieux !

1 kg de petites pommes de terre grenaille bien fraîches
4 gousses d'ail
50 g de beurre
1 cuil. à soupe d'huile d'olive
2 belles branches de thym frais
fleur de sel, poivre du moulin

Lavez les pommes de terre et frottez-les dans l'eau pour éliminer le maximum de peau. Ne les pelez pas, égouttez-les et séchez-les soigneusement dans un linge.

Écrasez les gousses d'ail entières avec la lame d'un gros couteau.

Faites chauffer le beurre avec l'huile d'olive pour l'empêcher de brûler. Quand il est mousseux, ajoutez l'ail, les pommes de terre et les branches de thym. Faites sauter le tout sur feu moyen pendant environ 30 min, en remuant souvent avec une spatule et en retournant les pommes de terre.

Testez la cuisson avec la pointe d'un couteau : quand celle-ci s'enfonce dans une pomme de terre sans résistance, le plat est prêt. Retirez alors les gousses d'ail et le thym ; salez et poivrez.

Soupe de pommes de terre au lait d'amandes

Ce que j'aime dans cette recette, c'est que le lait d'amandes apporte une note suave et délicate à la pomme de terre. Une bonne façon de revisiter ce grand classique qui a bercé mon enfance.

800 g de pommes de terre à soupe
1 oignon
30 g de beurre
100 g de poudre d'amandes
1 cube de bouillon de volaille

4 cuil. à soupe d'amandes effilées
4 cuil. à soupe de crème fraîche
cerfeuil et ciboulette
sel (facultatif), poivre blanc du moulin

Épluchez et lavez les pommes de terre. Coupez-les en gros morceaux.

Épluchez et hachez l'oignon, faites-le suer quelques minutes au beurre dans une grande casserole. Ajoutez les pommes de terre en morceaux et la poudre d'amandes ; faites revenir quelques instants sans laisser attacher. Ajoutez de l'eau chaude de façon à couvrir les pommes de terre de 1,5 cm environ. Portez à ébullition, ajoutez le cube de bouillon et laissez cuire 30 min sur feu doux.

Pendant cette cuisson, dans une poêle sèche et sur feu doux, faites griller les amandes effilées en les remuant fréquemment. Ne les laissez pas brûler ; elles doivent dorer uniformément. Quand elles ont la couleur que vous désirez, versez-les immédiatement sur une assiette pour arrêter la cuisson.

Mixez la soupe. Ajoutez la crème fraîche et rectifiez l'assaisonnement : normalement, le cube de bouillon doit avoir fourni le sel nécessaire. Poivrez.

Servez la soupe dans des bols ; garnissez la surface d'amandes effilées, de pluches de cerfeuil et de brins de ciboulette.

Purée de patates douces

Cette purée fondante au goût de noisette est d'une simplicité absolue.
On cuit, on épluche, on écrase, on ajoute une belle noisette de beurre,
quelques feuilles de coriandre et hop, c'est parti ! Et dire qu'en plus, elle
coûte trois francs six sous...

750 g de patates douces
   (de la variété à chair jaune ou orange)
100 g de beurre
1 cuil. à soupe de coriandre fraîche ciselée
sel, poivre du moulin

Pelez et lavez les patates douces. Coupez-les en gros morceaux, mettez-les dans
une casserole et couvrez-les d'eau. Salez, portez à ébullition et faites cuire 30 min
sur feu doux, ou jusqu'à ce que les patates soient tendres. Égouttez-les dans une
passoire.

Réduisez-les en purée au moulin à légumes ou dans le bol d'un robot.

Versez la purée dans un légumier ou un plat creux de service et battez la purée avec
une spatule en ajoutant petit à petit le beurre. Salez, poivrez et ajoutez la coriandre.

Servez chaud en accompagnement d'une viande ou d'un poisson rôtis, poêlés ou
grillés.

Courgettes poêlées à l'huile de vanille

Voici une recette simplissime que je prépare à mes copines qui veulent garder la ligne. J'accompagne ces courgettes d'un cabillaud à la vapeur et le tour est joué !

L'huile de vanille :
50 cl d'huile d'olive
1 gousse de vanille

Les courgettes :
700 g de courgettes bien fermes
sel, poivre du moulin

L'huile de vanille se prépare une semaine à l'avance : fendez la gousse de vanille dans le sens de la longueur et raclez l'intérieur pour libérer les graines. Introduisez le tout, gousse et graines, dans un flacon ou un bocal de 50 cl bien propre. Couvrez d'huile d'olive, fermez et laissez reposer pendant huit jours dans un endroit à l'abri de la chaleur et de la lumière. Conservez ensuite cette huile au frais.

Si vous n'avez pas le temps de préparer l'huile de vanille, utilisez une huile d'olive aromatisée du commerce, vous avez le choix : basilic, thym, ail, citron... et même vanille !

Le jour même, nettoyez les courgettes. Séchez-les avec un linge propre ou du papier absorbant. Coupez-les en tranches de 3 à 4 mm environ.

Faites chauffer 4 cuil. à soupe d'huile de vanille dans une poêle. Faites-y sauter les courgettes en remuant souvent, jusqu'à ce que les légumes soient légèrement dorés mais encore croquants. Salez et poivrez.

Servez sans attendre comme accompagnement d'une grillade ou d'un poisson au four.

Salade de haricots verts, vinaigrette à l'œuf écrasé

Toute l'originalité de cette salade croquante vient de l'assaisonnement. J'ai eu l'idée d'ajouter dans la vinaigrette des œufs mollets écrasés qui apporte une note onctueuse. À servir sans modération lors de vos pique-niques et de vos brunchs !

800 g de haricots verts bien frais

4 œufs

gros sel

La vinaigrette :

2 échalotes

1 bouquet de ciboulette

1 cuil. à soupe de câpres

4 cornichons

le jus d'1 citron

5 cuil. à soupe d'huile d'olive

sel, poivre du moulin

Équeutez et lavez les haricots verts. Faites-les cuire à l'eau bouillante salée, sans couvrir la casserole, jusqu'à ce qu'ils soient tendres mais croquants sous la dent. Égouttez-les rapidement dans une passoire, puis passez-les sous l'eau froide pour aviver leur couleur et arrêter leur cuisson. Égouttez à nouveau.

Préparez la vinaigrette : hachez finement les échalotes, la ciboulette, les câpres et les cornichons égouttés. Délayez le sel et le poivre dans le jus de citron et 1 cuil. à soupe d'eau. Ajoutez l'huile d'olive en battant bien. Ajoutez enfin les échalotes, la ciboulette, les câpres et les cornichons hachés. Rectifiez l'assaisonnement.

Faites cuire deux œufs durs (8 min dans l'eau bouillante salée en commençant la cuisson à l'eau froide) et les deux autres mollets (5 min). Écalez les œufs durs et réservez-les. Écalez les œufs mollets et recueillez-les dans un saladier. Écrasez-les avec une fourchette tout en ajoutant, petit à petit, la vinaigrette.

Ajoutez les haricots verts égouttés et mélangez bien.

Hachez les œufs durs au couteau pour obtenir des œufs mimosa. Garnissez-en la salade et servez sans attendre.

Caviar d'aubergines à l'orange

Ici, j'ai transformé ce grand classique en un dip insolite grâce aux notes acidulées de l'orange. Idéal pour l'apéro avec du pain grillé ou des gressins… Mais, pour titiller vos papilles, servez-le avec un filet de poisson ou un magret de canard !

2 aubergines longues et fermes
1 petit oignon
1 orange non traitée
1 bouquet de ciboulette
1 cuil. à soupe de persil plat haché
10 cl d'huile d'olive
le jus d'1 citron
sel, poivre du moulin

Préchauffez le four à 180 °C (th. 6).

Piquez les aubergines avec une fourchette sur toute leur surface. Enveloppez-les dans une feuille d'aluminium, ajoutez l'oignon non pelé et faites cuire 35 min. Laissez tiédir.

Retirez les aubergines et l'oignon de leur papillote d'aluminium. Pelez l'oignon, coupez les aubergines en deux et retirez la chair avec une cuillère ; jetez la peau. Écrasez la chair au mixeur ou avec une fourchette. Déposez-la dans un saladier. Hachez finement l'oignon rôti et ajoutez-le dans le saladier.

Lavez l'orange, retirez le zeste en fines lanières à l'aide d'un couteau zesteur. Hachez-le au couteau. Pressez le jus de l'orange. Ciselez la ciboulette.

Ajoutez le zeste haché, le jus de citron, le jus d'orange, la ciboulette et le persil à la chair d'aubergine. Battez bien avec une fourchette en ajoutant petit à petit l'huile d'olive en filet. Salez et poivrez.

Servez tiède ou frais.

Tarte aux cèpes, sauce au vin de noix

Dans l'Aveyron, ma région natale, impossible de faire l'impasse sur la cueillette des cèpes. Plus qu'une tradition, c'est une vraie passion qui m'a poussé à créer cette tarte. La sauce au vin de noix renforce le côté authentique et croyez-moi, vos invités n'en feront qu'une bouchée !

30 cl de vin de noix (chez les cavistes)
1 rouleau de pâte brisée
600 g de cèpes frais
2 oignons
2 gousses d'ail

1 petit bouquet de persil plat
50 g de cerneaux de noix
4 cuil. à soupe d'huile d'olive
sel, poivre du moulin

Préparez d'abord la sauce : faites bouillir le vin de noix dans une casserole jusqu'à obtenir une consistance de sirop.

Préchauffez le four à 180 °C (th. 6) sur chaleur tournante.

Étalez la pâte dans un moule à tarte et taillez les bords. Sur le fond de tarte, posez le papier sulfurisé ayant servi à l'envelopper ; faites cuire 15 min au four. Sortez le fond de tarte du four, retirez le papier et laissez tiédir sans éteindre le four.

Pendant ce temps, nettoyez les cèpes et coupez-en le bout terreux. Séparez les pieds des chapeaux. Hachez les pieds au couteau et mettez de côté les chapeaux. Pelez et hachez les oignons. Hachez finement l'ail et le persil. Hachez la moitié des cerneaux de noix.

Dans une poêle antiadhésive, faites chauffer la moitié de l'huile d'olive. Faites-y suer les oignons hachés pendant 2 min, puis ajoutez les pieds de cèpes hachés et faites cuire sur feu doux pendant 15 min. Salez et poivrez. Ajoutez l'ail et le persil, puis les cerneaux hachés, et faites cuire encore 1 min en mélangeant. Étalez ce mélange sur le fond de tarte.

Coupez les chapeaux des cèpes en tranches de 4 mm environ, et faites-les revenir 5 min à l'huile d'olive. Posez ces tranches sur la tarte. Ajoutez les cerneaux de noix restants et terminez la cuisson de la tarte en la passant 5 min au four.

Pour servir, découpez en parts et arrosez de la sauce au vin de noix légèrement réchauffée.

Fricassée de petits pois à la menthe

Quel plaisir de travailler les petits pois frais tout juste dénichés sur le marché ! Avec de la menthe très finement ciselée, ce plat tout vert séduira même les plus récalcitrants aux légumes.

1 kg de petits pois

1 botte de petits oignons blancs nouveaux

1 cœur de laitue

4 branches de menthe fraîche

50 g de beurre

1 branche de thym

sel, poivre du moulin

Écossez les petits pois. Épluchez et lavez les oignons nouveaux en leur laissant 2 ou 3 cm de vert. Hachez grossièrement le cœur de laitue.

Effeuillez la menthe, hachez finement les feuilles et mélangez-les avec la moitié du beurre. Réservez au frais.

Faites fondre le reste de beurre dans une cocotte. Faites-y revenir les petits pois et les oignons blancs avec le thym pendant 3 min. Ajoutez la laitue et faites suer encore 3 min. Ajoutez 15 cl d'eau, salez, poivrez, couvrez et laissez cuire environ 20 min ou jusqu'à ce que les petits pois soient tendres.

Rectifiez l'assaisonnement ; hors du feu, ajoutez le beurre à la menthe et laissez fondre en mélangeant. Servez vite.

Sur le pouce

Brochettes de gambas aux litchis
Cake aux figues et au jambon
Croquettes coulantes de mozzarella
Tarte Tatin aux échalotes confites
Tarte fine de légumes au pistou
Tartine à l'anchoïade, légumes du jour
Tourte de thon aux olives
Club sandwich
Champignons farcis

Brochettes de gambas aux litchis

La clé de la réussite ? Utilisez impérativement des litchis frais ; on oublie trop souvent ces fruits qui sont pourtant incontournables dans la cuisine asiatique. J'aime bien aussi servir ces brochettes piquées sur des cure-dents à l'heure de l'apéro...

24 litchis frais ou en conserve

12 belles gambas

3 cuil. à soupe d'huile d'olive

1 cuil. à soupe de vinaigre balsamique

sel, poivre du moulin

Le matériel :

12 piques à brochette en bois ou en bambou

Si vous utilisez des litchis frais, épluchez-les soigneusement et retirez le noyau sans trop endommager le fruit. S'ils sont en conserve, égouttez-les dans une passoire pendant environ 1 h.

Décortiquez les gambas en leur laissant la nageoire caudale. Incisez le dos sur toute la longueur et retirez la veine dorsale. Salez légèrement les gambas.

Faites chauffer l'huile d'olive dans une poêle et faites-y rapidement sauter les gambas, 30 sec de chaque côté. Déposez-les sur une assiette pour les laisser reposer 2 min.

Sur les piques, enfoncez un litchi, puis une gamba en l'allongeant bien sur la brochette de la tête à la queue, et finissez par un autre litchi.

Faites chauffer de nouveau la poêle et déglacez-la avec le vinaigre balsamique. Déposez-y les brochettes de gambas et finissez la cuisson sur feu moyen, jusqu'à ce que les gambas aient perdu toute transparence, mais pas au-delà.

Retirez du feu, salez, poivrez. Servez trois brochettes par personne.

Cake aux figues et au jambon

Faites le test : laissez traîner ce cake sucré-salé sur la table de la cuisine. Je vous garantis qu'il ne passera pas l'après-midi...

200 g de figues sèches ou de figues noires fraîches, pas trop mûres

20 cl de vin blanc doux ou de muscat (pour les figues sèches)

1 branche de thym frais

200 g de serrano ou de tout autre bon jambon de pays

220 g de farine

1 sachet de levure chimique

4 œufs

10 cl d'huile d'olive

75 g de parmesan râpé

1 cuil. à soupe de miel liquide

un peu de beurre et de farine pour le moule

sel, poivre du moulin

Le matériel :

1 moule à cake d'environ 22 cm de longueur

Si vous utilisez des figues sèches, équeutez-les et faites-les tremper la veille au soir dans le vin blanc doux ou le muscat. Le lendemain, égouttez-les et coupez-les en dés de 1 cm de côté environ.

Si vous utilisez des figues fraîches, coupez l'extrémité de la queue et lavez soigneusement les figues. Coupez-les en dés un peu plus gros (2 ou 3 cm environ).

Effeuillez le thym, écrasez-en les feuilles avec la lame d'un couteau pour libérer leur saveur.

Hachez grossièrement le jambon au couteau. Mélangez les dés de figues, le jambon et le thym.

Préchauffez le four à 160 °C (th. 5-6).

Mélangez la farine et la levure chimique. Battez les œufs avec l'huile d'olive, le parmesan et le miel. Mélangez le tout avec la farine. Battez jusqu'à ce que le mélange soit bien homogène.

Beurrez et farinez le moule. Versez-y la pâte et ajoutez la garniture de figues et de jambon juste avant d'enfourner, en enfonçant bien le tout dans la pâte.

Mettez le cake au four et faites-le cuire 45 min environ. Pour vérifier la cuisson, enfoncez une lame de couteau au centre du cake. Elle doit en ressortir propre.

Laissez tiédir le cake dans le moule pendant 15 min, puis démoulez-le. Savourez-le chaud, tiède ou froid.

Préparation : **25 min** - Repos de la purée : **3 h** - Cuisson : **40 min** environ
Pour **4** à **6** personnes

Croquettes coulantes de mozzarella

J'adore servir ces croquettes fondantes à l'heure de l'apéro ou en entrée, avec une belle salade de pousses d'épinard. Le seul risque ? Quand on commence, on ne peut plus s'arrêter...

1 kg de pommes de terre

100 g de beurre

3 cuil. à soupe de crème liquide

6 jaunes d'œufs

herbes hachées (persil,
  cerfeuil, ciboulette)

2 boules de mozzarella

100 g de farine

200 g de chapelure fine

2 œufs entiers

huile pour friture

sel, poivre du moulin

La vinaigrette de légumes au curry :
  (voir recette p. 192)

Lavez les pommes de terre et faites-les cuire à l'eau salée. Pelez-les et passez-les au moulin à légumes afin d'obtenir une purée. Ajoutez le beurre et la crème et mélangez le tout sur feu doux afin de le « dessécher ». Salez, poivrez, retirez du feu et laissez légèrement tiédir.

Ajoutez alors les jaunes d'œufs et les herbes hachées. Étalez cette purée dans un récipient plat comme un moule ou un plat à gratin ; laissez complètement refroidir au réfrigérateur, environ 3 h.

Quand le mélange est bien refroidi, taillez la mozzarella en cubes.

Dans trois assiettes différentes, disposez la farine, la chapelure et les deux œufs entiers battus. Façonnez des boulettes de purée grosses comme un petit œuf et placez au centre de chacune un morceau de mozzarella. Refermez bien la boulette.

Passez chaque boulette dans la farine, puis dans l'œuf battu, puis dans la chapelure. Réservez les croquettes sur un plat, au réfrigérateur.

Faites chauffer l'huile dans une friteuse ; faites-y bien dorer les croquettes de mozzarella. Égouttez-les sur du papier absorbant.

Servez les croquettes bien chaudes accompagnées de la vinaigrette de légumes.

Tarte Tatin aux échalotes confites

Ne cantonnez plus les tartes Tatin au rang des desserts ! Voici une version salée très tendance pour mini-budgets.

1 kg d'échalotes pas trop grosses
3 cuil. à soupe d'huile d'olive
30 g de beurre
1 petit bouquet de thym
2 cuil. à soupe de sucre semoule
1 cuil. à soupe de vinaigre balsamique
2 cuil. à soupe de caramel de balsamique
  (voir recette p. 128)
1 rouleau de pâte brisée ou feuilletée,
  pur beurre
sel, poivre du moulin

La salade :
1 petite salade de roquette lavée et essorée
1 bouquet de ciboulette
1 petit bouquet de cerfeuil
4 cuil. à soupe d'huile d'olive
2 cuil. à soupe de jus de citron
copeaux de parmesan
sel, poivre du moulin
Le matériel :
1 moule à tarte antiadhésif
  de 24 cm de diamètre environ

Épluchez les échalotes en les laissant entières. Dans une grande sauteuse, faites chauffer l'huile d'olive. Ajoutez les échalotes et, sur feu doux, faites-les dorer sur toutes leurs faces pendant 10 min en remuant doucement.

Ajoutez le beurre en petits morceaux, les branches de thym, le sucre et le vinaigre balsamique ; salez et poivrez. Ajoutez une très petite quantité d'eau. Couvrez la sauteuse et faites confire les échalotes sur feu doux pendant 1 h. De temps en temps, vérifiez la cuisson : si les échalotes attachent, ajoutez un peu d'eau régulièrement jusqu'à obtenir un jus sirupeux. Ôtez les branches de thym. Retirez le couvercle et laissez tiédir les échalotes.

Préchauffez le four à 200 °C (th. 6-7). Versez le caramel de balsamique sur le fond du moule puis étalez-le. Ajoutez les échalotes et le jus contenu dans la sauteuse. Répartissez bien le tout sur la surface du moule. Posez la pâte déroulée sur le moule en enfonçant les bords entre la paroi du moule et les échalotes. Piquez la surface de la pâte avec une fourchette.

Enfournez et faites cuire environ 30 min, ou jusqu'à ce que la pâte soit uniformément colorée. Sortez le moule du four et laissez reposer 10 min. Retournez-le avec précaution sur un grand plat et démoulez la tarte.

Accommodez la salade de roquette avec la ciboulette et le cerfeuil, l'huile d'olive et le jus de citron ; salez et poivrez. Coiffez de copeaux de parmesan.

Servez la tarte chaude avec la salade de roquette.

Tarte fine de légumes au pistou

Cette tarte fine vaut vraiment le détour... Avec son méli-mélo de légumes crus et cuits et ses touches de basilic et de parmesan, elle va vous emballer !

80 g de haricots verts

150 g d'asperges vertes

4 petits artichauts violets

   + le jus d'1 citron pour les artichauts

120 g de jeunes carottes

120 g de jeunes navets

100 g de pois gourmands

120 g de cébettes ou d'oignons nouveaux

2 rouleaux de pâte feuilletée

2 cuil. à soupe d'huile d'olive

4 olives noires

4 tomates cocktail

sel, poivre du moulin

Le pistou :

1 beau bouquet de basilic

3 gousses d'ail

25 cl d'huile d'olive

sel fin

La salade de roquette :

  (voir recette p. 41)

Le matériel :

2 plaques à pâtisserie

Préparez le pistou en mixant finement les feuilles de basilic avec l'ail, l'huile d'olive et un peu de sel. Versez le pistou dans un bol.

Épluchez, parez et lavez tous les légumes, sauf les tomates. Ne gardez que les pointes des asperges, tournez les petits artichauts avec un couteau tranchant en retirant les feuilles du tour pour ne garder que les parties tendres. Citronnez les artichauts pour préserver leur couleur.

Faites cuire les légumes séparément à l'eau bouillante salée en les gardant croquants. Pour les légumes verts, passez-les sous l'eau courante bien froide pour aviver leur couleur. Égouttez de nouveau.

Préchauffez le four à 220 °C (th. 7-8). Étalez les deux rouleaux de pâte feuilletée et découpez dans chacun, à l'aide d'un récipient rond, deux disques d'environ 15 cm de diamètre. Posez ces quatre disques sur une plaque, piquez leur surface avec une fourchette et posez la seconde plaque sur la première. Cette précaution sert à empêcher la pâte de lever tout en la gardant croustillante.

Enfournez et faites cuire 6 min. Retirez la plaque supérieure et poursuivez la cuisson encore 6 min.

Pendant la cuisson des fonds de tarte, faites réchauffer les légumes à la poêle avec l'huile d'olive. Salez et poivrez. Hors du feu, ajoutez un peu de pistou pour lier les légumes.

Sur chaque assiette, posez un disque de pâte feuilletée. Disposez les légumes sur la pâte, plus une olive noire et une tomate cocktail. Arrosez de pistou, entourez d'un peu de salade de roquette et ajoutez encore un peu de pistou sur la salade.

Vous pouvez encore agrémenter cette tarte de filets d'anchois à l'huile, d'œufs pochés, de filets de sardine crus, de lanières de jambon de Parme ou d'Espagne, etc.

Tartine à l'anchoïade, légumes du jour

Une tartine express mais qui en jette pour tous les copains qui débarquent à l'improviste. À servir avec un petit verre de bandol bien frais pour retrouver l'ambiance du Sud.

4 tranches de pain de campagne
   au levain bien frais

L'anchoïade :

2 gousses d'ail

100 g de filets d'anchois à l'huile

1 cuil. à soupe rase de câpres au vinaigre

15 cl d'huile d'olive

poivre du moulin

Les légumes :

céleri-branche en fins bâtonnets, jeunes carottes en lamelles, jeunes courgettes, bouquets de chou-fleur émincés, pois gourmands, bâtonnets de fenouil, petites tomates cocktail, cœurs de laitue ou de romaine, feuilles d'endive... le tout joliment présenté.

Pour les légumes, choisissez-les selon la saison, le goût et la disponibilité, en préférant les légumes jeunes et tendres.

Préparez l'anchoïade : pilez l'ail dans un mortier ou au mixeur. Ajoutez les anchois et les câpres et réduisez le tout en pâte en ajoutant peu à peu l'huile d'olive. Poivrez généreusement et versez cette sauce dans un bol. Selon la consistance, ajoutez un peu d'huile d'olive si nécessaire. L'anchoïade doit être onctueuse pour pouvoir être étalée.

Faites griller les tranches de pain, étalez immédiatement l'anchoïade sur le pain, posez quelques légumes sur les tartines d'anchoïade et servez le tout, avec le reste de légumes à portée de main et un petit pichet d'huile d'olive.

Tourte de thon aux olives

Voilà la tourte de thon que ma mère nous servait tous les dimanches à l'heure du déjeuner. Je me suis tellement régalé que je voulais vous faire partager sa recette...

1 kg de tomates bien mûres

1 poivron rouge pelé

1 poivron vert pelé

1 gros oignon

2 gousses d'ail

2 boîtes de thon au naturel (environ 400 g)

4 cuil. à soupe d'huile d'olive

2 cuil. à soupe de concentré de tomate

1 bouquet garni (feuilles de laurier, branches de thym, quelques branches de persil plat)

50 g d'olives vertes dénoyautées

50 g d'olives noires dénoyautées

2 rouleaux de pâte brisée, pur beurre

sel, poivre du moulin

Le matériel :

1 tourtière (ou, à défaut, 1 moule à tarte)

Ébouillantez les tomates quelques secondes, passez-les sous l'eau froide, puis pelez-les. Hachez-les grossièrement.

Passez les poivrons environ 15 min sous le gril du four en les tournant régulière-ment. Enveloppez-les d'une feuille d'aluminium, laissez-les tiédir 10 min, puis pelez-les et épépinez-les ; taillez la chair en dés.

Émincez finement l'oignon. Hachez l'ail. Égouttez et émiettez le thon.

Dans une grande casserole, faites chauffer l'huile d'olive. Faites-y revenir l'oignon et l'ail. Ajoutez les tomates et les poivrons, le concentré, le bouquet garni, du sel et du poivre. Faites cuire sans couvrir en remuant de temps en temps, pendant 30 min environ ou jusqu'à ce que la sauce soit bien réduite. Retirez le bouquet garni ; ajoutez le thon et les olives, mélangez bien et faites cuire encore 10 min sur feu doux. Rectifiez l'assaisonnement et retirez du feu.

Préchauffez le four à 180 °C (th. 6). Étalez une pâte brisée dans la tourtière. Piquez le fond avec une fourchette, ajoutez la sauce tomate au thon, étalez-la bien, humectez légèrement les bords de la pâte puis appliquez la seconde pâte en appuyant sur les bords pour souder les deux abaisses. Coupez la pâte en excédent. Prenez-en un peu pour confectionner une petite cheminée et percez un trou au milieu de la tarte. Ajustez-y la cheminée (pour évacuer l'humidité) et enfournez.

Faites cuire environ 35 min, jusqu'à ce que la surface de la pâte soit uniformé-ment dorée. Laissez reposer quelques minutes avant de découper et de servir.

Club sandwich

Sûrement l'un de mes plats préférés : j'aime autant les préparer que les dévorer. C'est d'ailleurs ce que je me concocte le plus souvent, dans mon resto, à la fin du service.

8 tranches de bacon à l'anglaise
   (lard de poitrine fumé finement tranché)
1 belle tomate mûre
10 cuil. à soupe de mayonnaise
   bien relevée (de préférence faite maison)
12 tranches de pain de mie de bonne qualité
4 cuil. à café de paprika
8 feuilles de laitue lavées et bien essorées

250 g de blanc de poulet cuit,
   finement tranché
250 g de jambon cuit de style italien,
   très finement tranché
sel, poivre du moulin
Le matériel :
16 piques en bois ou cure-dents

Poêlez les tranches de bacon sur feu moyen, puis doux, jusqu'à ce qu'elles soient bien croustillantes (environ 6-7 min). Égouttez-les sur du papier absorbant.

Lavez la tomate et coupez-la en huit tranches fines.

Montez un sandwich de la façon suivante : étalez la mayonnaise sur trois tranches de pain. Salez légèrement, poivrez et saupoudrez de paprika.

Sur une tranche de pain, côté mayonnaise en dessus, déposez une feuille de laitue et un quart du blanc de poulet, puis du jambon.

Recouvrez d'une deuxième tranche de pain, côté mayonnaise en dessus, couvrez celle-ci d'une feuille de laitue, ajoutez deux tranches de tomate et deux tranches de bacon coupées en deux.

Posez la dernière tranche de pain, côté mayonnaise en dessous.

Piquez le sandwich d'un cure-dents ou d'une pique de bois et, à l'aide d'un couteau tranchant, découpez-le en quatre portions triangulaires.

Renouvelez ces opérations pour chaque sandwich.

Champignons farcis

Voici une façon originale de manger des champignons. Les tout petits dés de chorizo apportent une note *spicy* à la farce. Vous allez voir, vous n'en ferez qu'une bouchée !

12 gros champignons de Paris bien ouverts
  (7-8 cm de diamètre environ)
1 petit oignon
1 petite courgette
1 tranche de jambon de Paris
3 tranches de chorizo

3 branches de persil plat
1 cuil. à café de romarin frais haché
3 cuil. à soupe de parmesan râpé
1/2 cuil. à café de piment d'Espelette
2 cuil. à soupe d'huile d'olive
sel, poivre du moulin

Préchauffez le four à 180 °C (th. 6).

Nettoyez les champignons sans les laver, en les essuyant avec du papier absorbant. Retirez le pied de chaque champignon en le cassant au ras du chapeau.

Hachez en tout petits dés l'oignon pelé, la courgette préalablement lavée et essuyée, le jambon et le chorizo. Hachez finement les feuilles de persil. Mélangez le tout puis ajoutez le romarin, le parmesan et le piment d'Espelette. Liez le mélange avec l'huile d'olive. Salez légèrement et poivrez.

Farcissez les champignons de ce mélange en disposant celui-ci en dôme. Déposez les champignons farcis dans un plat à gratin et faites-les cuire environ 25 min au four, ou jusqu'à ce que la farce soit légèrement dorée et qu'elle grésille.

Vous pouvez servir comme vous voulez : chaud, tiède ou froid.

Les classiques revisités

Hachis Parmentier au canard et aux noisettes

Entre les noisettes qui croustillent et le parmesan qui gratine, croyez-moi, on se fait violence pour attendre la fin de la cuisson...

2 cuisses de confit de canard

La purée :

2 échalotes

1 bouquet de ciboulette

100 g de noisettes décortiquées

1 kg de pommes de terre (charlotte)

10 cl d'huile d'olive

sel, poivre du moulin

La crème de parmesan :

50 cl de crème liquide

8 cuil. à soupe de parmesan râpé

Hachez finement les échalotes et la ciboulette. Faites légèrement griller les noisettes au four et concassez-les légèrement.

Faites cuire les pommes de terre entières dans de l'eau salée. Quand elles sont bien tendres, égouttez-les et pelez-les. Écrasez-les avec une fourchette, ajoutez les noisettes, l'huile d'olive, la moitié de l'échalote et la moitié de la ciboulette. Rectifiez l'assaisonnement en sel et en poivre.

Préchauffez le four à 200 °C (th. 6-7).

Égouttez bien le confit de canard et essuyez-le. Retirez tous les os et émiettez finement la chair. Frottez un plat à gratin avec un peu de graisse de confit, étalez-y le canard haché, mélangez avec le reste d'échalote et de ciboulette. Recouvrez de purée aux noisettes et égalisez bien la surface.

Préparez la crème de parmesan : faites bouillir et réduire la crème avec le parmesan jusqu'à obtention d'une sauce onctueuse.

Versez cette crème sur le parmentier et faites gratiner 20 min au four. Laissez reposer 5 min avant de servir.

Tomates farcies à ma façon

Il existe autant de recettes de tomates farcies que de cuisiniers. Voici la mienne. J'espère que vous allez l'apprécier autant que moi...

600 g de bœuf haché

12 tomates moyennes, bien rondes

1 tranche de pain de campagne

10 cl de vin blanc sec

1 oignon

2 gousses d'ail

2 échalotes

1 petit bouquet de persil plat

1 petit bouquet de coriandre fraîche

2 belles branches de thym frais

2 œufs

1 cuil. à soupe de moutarde

1 cuil. à café de cumin

1 cuil. à soupe de paprika

huile d'olive

sel, poivre du moulin

Préchauffez le four à 160 °C (th. 5-6).

Coupez une tranche à l'opposé du pédoncule des tomates. Évidez-les avec une petite cuillère, salez l'intérieur et faites-les reposer 30 min, renversées, sur du papier absorbant. Gardez les chapeaux de côté.

Retirez la croûte du pain de mie et faites-le tremper dans le vin blanc. Essorez-le et émiettez-le.

Hachez finement l'oignon, l'ail, les échalotes, le persil, la coriandre et le thym. Mélangez le tout avec la viande hachée, le pain, les œufs, la moutarde, le cumin et le paprika. Salez et poivrez généreusement.

Farcissez les tomates de ce mélange en disposant celui-ci en dôme. Posez les chapeaux sur les tomates farcies. Rangez-les dans un plat à gratin enduit d'huile d'olive.

Faites cuire 1 h au four en arrosant deux ou trois fois au cours de la cuisson avec le jus contenu dans le plat. Servez chaud, avec du riz blanc si vous le souhaitez.

Œufs cocotte au laguiole

Cette recette inratable se réalise en un tour de main. Ici, je vous la propose avec des lamelles de laguiole, un de mes fromages préférés. Ce cousin du cantal apportera une touche corsée à ce plat du dimanche soir.

4 gros œufs frais

1 bouquet de ciboulette

200 g de laguiole ou de cantal entre-deux

40 g de beurre

8 cuil. à soupe de crème fraîche

4 tranches de pain de campagne au levain

fleur de sel, poivre du moulin

Le matériel :

4 petits moules à soufflé individuels (ou ramequins)

Préchauffez le four à 180 °C (th. 6). Ciselez finement la ciboulette. Taillez le fromage en fines lamelles.

Préparez de l'eau frémissante dans une bouilloire et un grand plat rectangulaire en métal pour cuire les œufs au bain-marie.

Beurrez les moules avec une partie du beurre. Déposez dans chacun 1 cuil. à soupe de crème fraîche, quelques lanières de fromage et un peu de ciboulette. Salez, poivrez, cassez un œuf dans chaque récipient. Recouvrez du reste de crème, ajoutez la ciboulette restante, salez et poivrez.

Posez les ramequins dans le plat rectangulaire, versez de l'eau frémissante à mi-hauteur des moules et glissez le tout au four. Faites cuire 10 min.

Pendant ce temps, faites griller les tranches de pain, beurrez-les avec le reste de beurre et taillez-les en mouillettes. Recouvrez-les avec les lamelles de fromage restantes.

Servez les œufs cocotte bien chauds, à la sortie du four, accompagnés des mouillettes au laguiole.

Mon gratin de macaronis

Je ne me lasserai jamais de ce grand classique que je prépare ici à ma sauce. Un plat enfantin pour adultes en pleine régression... À consommer sans modération !

300 g de macaronis
50 g d'emmental râpé
50 g de beaufort
25 g de beurre
25 g de farine
50 cl de lait
1/2 cuil. à café de noix de muscade râpée
40 cl de crème liquide
sel, poivre du moulin

Faites cuire les macaronis à l'eau bouillante salée en comptant la moitié du temps de cuisson indiqué sur le paquet, plus 1 min. Égouttez-les rapidement en les secouant et mettez-les dans un saladier.

Râpez le beaufort. Mélangez les deux fromages râpés et saupoudrez les macaronis avec les trois quarts de ce mélange.

Faites fondre le beurre dans une casserole, ajoutez la farine, remuez pendant 1 min, sur feu doux, puis ajoutez le lait en fouettant. Faites cuire jusqu'à ce que la béchamel soit bien épaisse ; salez, poivrez et ajoutez la muscade.

Préchauffez le four à 180 °C (th. 6).

Versez la béchamel sur les macaronis encore chauds. Mélangez soigneusement et laissez reposer 20 min. Ajoutez le tiers de la crème, mélangez à nouveau et attendez encore 10 min. Ajoutez un autre tiers de crème, laissez reposer une nouvelle fois, puis ajoutez le reste de crème.

Disposez les macaronis dans un plat à gratin, garnissez-les du reste de fromage râpé et faites gratiner le tout 20 min au four.

Servez bien chaud.

Moules farcies à la sétoise

Je sers cette recette lors de nos grandes tablées familiales. D'ailleurs, mon père en est dingue... Alors, même si c'est du boulot côté préparation, les efforts sont récompensés à tous les coups.

24 grosses moules d'Espagne lavées et brossées
sel, poivre du moulin
La farce :
2 gousses d'ail pelées
1 petit bouquet de persil plat
350 g de chair à saucisse
1 tranche de pain de campagne
2 œufs
La sauce :
4 cuil. à soupe d'huile d'olive

1 oignon
500 g de coulis de tomate
20 cl de vin blanc sec
1 bouquet garni (thym, laurier, persil)
L'aïoli :
3 gousses d'ail pelées
1 tranche de pain
2 jaunes d'œufs
25 cl d'huile d'olive
sel, poivre du moulin

Préparez la farce des moules : hachez l'ail et le persil. Mélangez-les à la chair à saucisse, salez et poivrez. Ôtez la croûte du pain et passez la mie au robot pour la pulvériser, puis ajoutez la farce et pulsez quelques secondes pour obtenir une texture assez fine. Ajoutez les œufs et pulsez encore quelques secondes.

Ouvrez les moules sans trop séparer les coquilles. Introduisez la farce dans chacune, refermez les coquilles, retirez l'excès de farce et attachez chaque coquille avec du fil de cuisine. Réservez au frais.

Préparez la sauce : faites chauffer l'huile d'olive dans une casserole et faites-y revenir l'oignon préalablement haché pendant 3 min. Ajoutez le coulis de tomate et faites réduire de moitié. Ajoutez le vin blanc, 25 cl d'eau et le bouquet garni. Faites cuire 5 min.

Disposez les moules dans une cocotte qui puisse les contenir en une ou deux couches. Ajoutez la sauce. Si celle-ci ne recouvre pas les moules à hauteur, ajoutez un peu d'eau ou de vin blanc. Portez à ébullition, couvrez et faites cuire 30 min sur feu moyen.

Préparez l'aïoli en pilant l'ail dans un mortier ou en l'écrasant finement. Faites tremper le pain puis essorez-le et pilez-le soigneusement avant de l'ajouter à la préparation. Versez les jaunes d'œufs, salez et poivrez. Montez la sauce en ajoutant l'huile d'olive en filet jusqu'à obtenir une consistance de mayonnaise.

Quand les moules sont cuites, ajoutez l'aïoli à la sauce. Servez ce plat bien chaud avec des pommes vapeur.

Blancs de poulet panés aux noisettes

Voici une recette de dernière minute où le poulet est enrobé de noisettes concassées. À picorer à l'apéro avec une sauce barbecue ou à servir en plat, accompagné de pommes de terre grenaille (voir p. 18).

4 blancs de poulet fermier

2 œufs

50 g de farine

200 g de noisettes

40 g de beurre

sel, poivre du moulin

Préchauffez le four à 180 °C (th. 6). = 356°F

Salez et poivrez les blancs de poulet.

Dans une assiette creuse, battez les œufs. Dans une autre assiette creuse, versez la farine.

Pelez les noisettes, faites-les légèrement griller puis concassez-les en les écrasant avec un rouleau à pâtisserie. Recueillez-les dans une troisième assiette creuse.

Passez les blancs de poulet dans la farine et tapotez-les pour en éliminer l'excédent. Passez-les ensuite dans les œufs battus, puis dans les noisettes en les enrobant soigneusement.

Faites fondre le beurre dans une poêle en fonte allant au four et faites-y dorer, sur feu doux, les blancs de poulet côté peau pendant 5 min environ (ou sur une face si vous les avez achetés sans la peau). Terminez leur cuisson au four pendant 5 min. Laissez-les reposer 5 min hors du four, dans leur poêle, avant de les servir.

Tomates-mozzarella au pistou

Il n'y a pas de bonne cuisine sans bons produits. Alors, optez pour de la mozzarella *di buffala* et des tomates bien parfumées ; ce plat basique retrouvera ainsi tout son panache.

1 bouquet de basilic
1/2 gousse d'ail
15 cl d'huile d'olive
4 belles tomates bien mûres ou 6 moyennes
1 cuil. à soupe de vinaigre balsamique
3 boules de mozzarella
   (de préférence *di buffala*)
sel, poivre du moulin

Effeuillez le basilic ; gardez quelques belles feuilles pour la garniture. Mixez finement le reste des feuilles avec l'ail et l'huile d'olive. Salez et poivrez. Ajoutez un peu d'huile d'olive si nécessaire pour allonger ce pistou.

Ébouillantez brièvement les tomates et pelez-les. Coupez-les en tranches et disposez celles-ci sur un grand plat. Arrosez de quelques gouttes de vinaigre balsamique.

Coupez la mozzarella en tranches et disposez celles-ci sur les tomates. Répartissez soigneusement le pistou sur toute la surface du plat. Garnissez des feuilles de basilic réservées et servez.

Purée de pommes de terre à la vanille

Cette purée inédite est devenue en quelques temps le *best-of* de mon resto... Osez cette recette, vous ne serez pas déçu !

1 kg de pommes de terre bintje
   (ou autres pommes de terre à purée)
1 gousse de vanille
20 cl de crème liquide
100 g de beurre
sel, poivre blanc du moulin

Brossez et lavez les pommes de terre. Faites-les cuire à l'eau bouillante salée jusqu'à ce qu'une lame de couteau y entre sans résistance (environ 25 à 30 min). Égouttez les pommes de terre, pelez-les et passez-les au moulin à légumes ou au presse-purée.

Fendez la gousse de vanille et ajoutez les graines aux pommes de terre écrasées. Faites chauffer la crème avec la gousse de vanille, portez à frémissement et laissez infuser 3 min. Retirez la gousse de vanille.

Montez la purée en la battant avec une spatule, tout en ajoutant peu à peu le beurre en petits morceaux et la crème vanillée. Salez, poivrez et servez immédiatement.

Côte de bœuf, oignons confits et ma béarnaise

Pour un résultat au top, choisissez du bœuf de l'Aubrac, une viande à la fois ferme et goûteuse. C'est celle que je cuisine dans mon restaurant. Pour les vrais amateurs, dégustez-la saignante, évidemment !

2 belles côtes de bœuf
   (1 kg chacune environ)
40 g de beurre
2 branches de thym
sel fin, gros sel de Guérande,
   poivre concassé, poivre du moulin
Les oignons confits :
700 g d'oignons, petits ou gros
4 cuil. à soupe d'huile d'olive
4 cuil. à soupe de vinaigre de jerez
1 branche de thym
1 feuille de laurier

4 cuil. à soupe de sucre
3 filets d'anchois à l'huile
sel, poivre du moulin
La béarnaise :
2 échalotes
2 belles branches d'estragon
20 cl de vinaigre de vin blanc
3 jaunes d'œufs
150 g de beurre doux bien froid
   + 2 noix pour les côtes
sel, poivre blanc du moulin

Sortez les côtes de bœuf du réfrigérateur environ 1 h avant de les faire cuire au four. Le temps indiqué est prévu pour une cuisson saignante ; augmentez ou diminuez le temps de cuisson selon vos préférences.

Préparez d'abord les oignons confits. S'ils sont petits, épluchez-les et laissez-les entiers. S'ils sont moyens ou gros, épluchez-les et coupez-les en tranches. Dans une sauteuse, faites chauffer l'huile et faites-y cuire les oignons sur feu doux, sans les laisser colorer. Lorsqu'ils sont translucides, ajoutez le vinaigre, le thym, le laurier, le sucre et laissez réduire sur feu très doux pendant 30 min jusqu'à ce que les oignons soient confits sans être brûlés. Ajoutez les filets d'anchois préalablement égouttés et coupés en morceaux et laissez cuire le tout 5 min. Salez et poivrez.

Préparez la béarnaise : hachez finement les échalotes. Dans une casserole, réunissez les échalotes, l'estragon (gardez quelques feuilles pour la finition) et le vinaigre. Faites réduire presque à sec et retirez du feu. Éliminez les branches d'estragon. Ajoutez les jaunes d'œufs dans la casserole, salez un peu et mélangez bien. Posez la casserole sur un bain-marie frémissant et fouettez les jaunes d'œufs tout en ajoutant petit à petit le beurre préalablement coupé en petits dés. Fouettez la sauce sur feu très

doux jusqu'à ce qu'elle épaississe, mais ne la laissez pas bouillir. Quand elle est bien onctueuse, rectifiez l'assaisonnement, couvrez et gardez au tiède.

Préchauffez le four à 180 °C (th. 6). Salez légèrement les côtes de bœuf sur toutes leurs faces, frottez-les de poivre concassé et de thym frais. Saisissez-les à la poêle pendant environ 2 min sur chaque face, puis déposez-les dans un plat à gratin et terminez la cuisson 10 min au four. Retirez le plat du four, posez une noix de beurre sur chaque côte de bœuf et faites-les reposer 10 min sous une feuille d'aluminium.

Découpez les côtes de bœuf et saupoudrez chaque tranche d'un peu de gros sel de Guérande. Servez avec la béarnaise et les oignons confits.

Grosses frites à la graisse d'oie

Tout le monde fond pour ces frites « maison » aussi croustillantes à l'extérieur que moelleuses à l'intérieur. Et vous connaissez le principe : c'est ceux qui en parlent le plus qui en mangent le moins...

1 kg de pommes de terre assez grosses
(charlotte, de préférence bio)
1 kg de graisse d'oie ou de canard
2 gousses d'ail entières
fleur de sel, poivre du moulin

Si les pommes de terre sont nouvelles, ne les pelez pas mais lavez-les en les brossant, ce qui élimine la peau. Si elles sont un peu âgées, pelez-les avec un économe. Vous pouvez aussi choisir de ne pas les peler, surtout si elles sont issues de l'agriculture biologique.

Coupez-les en grosses frites (environ 2 à 2,5 cm de section) de forme irrégulière mais de taille à peu près homogène pour faciliter la cuisson. Essuyez soigneusement les frites dans un linge propre.

Faites chauffer la graisse d'oie ou de canard dans une cocotte. Écrasez légèrement les gousses d'ail du plat de la main, sans les peler. Quand la graisse est bien chaude, presque au point où elle commence à fumer, ajoutez les gousses d'ail. Attendez un petit moment, puis testez la chaleur de la graisse avec une frite. Si elle commence à grésiller vite, ajoutez le reste des frites et laissez cuire, en surveillant bien la température de la graisse, jusqu'à ce que les frites soient bien dorées ; remuez-les de temps en temps.

Égouttez-les, laissez-les reposer 1 min sur du papier absorbant, puis salez-les, poivrez-les et servez immédiatement.

Jeunes légumes sautés au wok et émincé de canard

Dès que le printemps pointe son nez, faites comme moi et flânez sur les marchés à la recherche de bons petits légumes. Avec des lamelles de magret de canard et un filet de sauce de soja, ce plat est un régal...

2 magrets de canard de 400 g chacun

2 cuil. à soupe d'huile d'olive

sauce de soja

1 bouquet de coriandre (pour la finition)

sel, poivre du moulin

Les légumes :

200 g de fèves fraîches

200 g de petits pois frais

100 g de haricots verts

8 petits navets nouveaux

2 petites carottes nouvelles

les blancs de 2 jeunes poireaux

4 petits oignons blancs nouveaux

4 bouquets de brocoli

Épluchez les légumes, écossez les fèves et les petits pois et équeutez les haricots verts ; lavez les légumes. Faites-les cuire séparément à l'eau bouillante salée en les gardant croquants (entre 2 et 4 min, selon les légumes). Plongez-les ensuite dans de l'eau glacée, pour aviver leur couleur, et égouttez-les soigneusement.

Quadrillez le gras des magrets de canard avec un couteau tranchant. Salez-les et poivrez-les sur les deux faces. Poêlez-les 5 min, côté gras, jusqu'à ce qu'ils soient bien dorés et croustillants. Retournez-les et poêlez-les encore 5 min. Retirez les magrets de la poêle et posez-les sur une planche à découper. Tranchez-les en fines lamelles.

Faites chauffer un wok sur feu moyen, ajoutez l'huile d'olive et faites sauter les légumes pendant 2 ou 3 min en les remuant bien. Ajoutez les lamelles de magret et un peu de sauce de soja ; poivrez.

Répartissez le tout dans des assiettes creuses et garnissez de feuilles de coriandre. Servez chaud.

Ma cuisine coup de cœur

Minestrone de fruits
au jus parfumé au basilic

Vous finirez vos dîners en beauté grâce à cette salade de fruits toute en fraîcheur. Ce qui fait la différence ? Prenez le temps de couper les fruits en tout petits morceaux. Trop bon !

Le jus au basilic :

70 g de sucre

le zeste râpé d'1 citron vert

1 gousse de vanille

5 feuilles de basilic

150 g de nectar d'abricot

Les fruits :

1 petite banane

1/2 mangue mûre

100 g d'ananas frais épluché

1/4 de melon

8 fraises

1/2 poire

4 feuilles de basilic pour la garniture

Dans une casserole, versez 40 cl d'eau. Ajoutez le sucre, le zeste de citron vert et la gousse de vanille fendue et grattée. Portez à ébullition, retirez du feu et ajoutez immédiatement le basilic. Couvrez et laissez infuser 5 min. Ajoutez le jus d'abricot, puis passez le tout à travers une passoire fine. Laissez refroidir au réfrigérateur pendant au moins 2 h.

Épluchez, nettoyez les fruits et taillez-les en dés d'environ 5 mm de côté. Mélangez-les, couvrez d'un film étirable et gardez au réfrigérateur jusqu'au moment de servir.

Dans des coupes ou des verres, répartissez les dés de fruits et versez le jus au basilic par-dessus. Mélangez et décorez d'une feuille de basilic.

Servez immédiatement.

Salade de carottes au jus d'orange et au cumin

Lors de mon dernier voyage à Marrakech, j'ai perdu ma valise. Mais heureusement, je n'ai pas tout perdu puisque j'ai rapporté cette recette aux saveurs typiquement marocaines...

500 g de carottes

1 orange

1 citron

1 cuil. à café d'eau de fleur d'oranger

1 pincée de sel

1 cuil. à soupe de sucre en poudre

1/2 cuil. à soupe de cumin en poudre

Pressez l'orange et le citron. Versez le jus dans un saladier, ajoutez l'eau de fleur d'oranger, le sel, le sucre et le cumin.

Râpez finement les carottes et ajoutez-les au contenu du saladier.

Mélangez et servez bien frais.

Briouattes au Kiri®

Ces bouchées à la fois fondantes et croustillantes régaleront les petits comme les grands. Le côté *fun* de cette recette ? Tout le monde pourra participer au pliage des feuilles de brik en triangles.

6 oignons nouveaux

3 cuil. à soupe d'huile d'olive

1 petit bouquet de persil plat

1 petit bouquet de coriandre fraîche

1 cuil. à café de *ras el hanout*

15 portions de fromage Kiri®

2 œufs

1 paquet de feuilles de brik

huile pour friture

sel, poivre du moulin

Épluchez les oignons nouveaux et hachez-les finement. Faites chauffer l'huile d'olive dans une poêle et faites-y fondre les oignons nouveaux, sur feu doux, pendant 5 min. Hachez le persil plat et la coriandre et, hors du feu, ajoutez-les aux oignons. Ajoutez le *ras el hanout*. Salez et poivrez. Laissez tiédir.

Retirez l'emballage des portions de fromage Kiri®. Recueillez tout le fromage dans une terrine et ajoutez-y le contenu de la poêle, ainsi que les œufs. Mélangez bien pour obtenir une farce homogène.

Découpez les feuilles de brik en rectangles de 15 cm sur 20 (environ deux rectangles par feuille).

Placez une feuille sur votre plan de travail, côté brillant vers le bas. Posez 1 bonne cuil. à café de farce sur le bas de la feuille, à 3 cm du bord. Rabattez les deux côtés de la feuille sur la farce dans le sens de la longueur ; vous devez obtenir une bande de 4 cm de largeur environ. Pliez et repliez cette bande sur elle-même en emprisonnant la farce et en avançant de biais pour obtenir un paquet triangulaire. Introduisez l'extrémité de la feuille dans un repli pour empêcher la *briouatte* de s'ouvrir. Aplatissez légèrement la *briouatte* et enveloppez-le dans un linge propre. Procédez de même jusqu'à épuisement des feuilles de brik.

Faites chauffer l'huile et faites bien dorer les *briouattes* sur les deux faces (environ 5 min). Égouttez-les sur du papier absorbant et servez chaud.

Tortilla de pommes de terre

C'est tout ce que j'aime : les notes ensoleillées et le côté convivial en font la recette idéale à picorer entre potes. C'est encore et toujours la Méditerranée qui me rattrape...

1 kg de pommes de terre
15 cl d'huile d'olive
10 œufs
1 oignon finement haché
1 cuil. à soupe de persil plat haché
sel, poivre du moulin

Pelez et lavez les pommes de terre. Taillez-les en fines rondelles (environ 3 mm d'épaisseur). Lavez-les soigneusement, égouttez-les et séchez-les dans un linge propre.

Dans une grande poêle antiadhésive, faites chauffer l'huile d'olive. Ajoutez les pommes de terre et faites-les frire sur feu vif en les remuant souvent. Quand elles commencent à blondir, retirez-les de la poêle et égouttez-les dans une passoire. Gardez l'huile, ajoutez-en dans la poêle si nécessaire.

Pendant que les pommes de terre cuisent, battez les œufs dans un grand saladier avec l'oignon et le persil hachés. Salez et poivrez. Ajoutez les pommes de terre et mélangez bien. Versez ce mélange dans la poêle sur feu vif, puis baissez le feu au plus doux et couvrez. Laissez cuire 6 min environ, puis faites glisser l'omelette sur un grand plat ou sur un grand couvercle et retournez-la sur un autre plat. Glissez l'omelette dans la poêle pour faire cuire l'autre face pendant 5 min environ. Dressez la tortilla sur un plat et dégustez-la chaude, tiède ou froide, coupée en parts ou en carrés.

Soupe de poissons et sa rouille

Certes, elle est un peu longue à préparer, mais croyez-moi, le jeu en vaut la chandelle. On retrouve, en une recette, toutes les tonalités gustatives de la Méditerranée avec, en prime, mes secrets de fabrication pour une rouille haute en saveur.

La soupe :

1 kg de poissons de roche
  (ou 1 kg d'un assortiment de poissons
  tels que grondin, vive, rascasse, merlan,
  rouget-barbet, tranche de congre...)

1 oignon

1 petit bulbe de fenouil

1 tête d'ail

10 cl d'huile d'olive

1 boîte (450 g) de tomates pelées

1 cuil. à soupe de concentré de tomate

1 pincée de safran en filaments

1/2 cuil. à café de piment d'Espelette
  en poudre

1 bouquet garni (thym, laurier,
  queues de persil)

1 petit verre de pastis

sel, poivre du moulin

La rouille :

1 tranche de pain au levain

un peu de vinaigre de vin

4 gousses d'ail épluchées

1 pincée de filaments de safran

1 cuil. à café rase de piment d'Espelette

2 jaunes d'œufs

25 cl d'huile d'olive environ

sel fin

Pour servir :

4 belles tranches de pain au levain

huile d'olive

4 gousses d'ail

parmesan râpé

Nettoyez, videz, écaillez, ébarbez (retirez les nageoires avec des ciseaux) et lavez les poissons. Égouttez-les dans une passoire.

Épluchez l'oignon et le fenouil. Émincez-les. Coupez la tête d'ail en deux. Faites chauffer l'huile d'olive dans une grande cocotte et faites-y revenir l'oignon, le fenouil et l'ail, pendant 5 min environ et sur feu moyen. Ajoutez les tomates et le concentré. Faites réduire quelques minutes, puis ajoutez les poissons, le safran, le piment d'Espelette et le bouquet garni. Faites cuire 2 min, puis couvrez d'eau à hauteur. Salez et poivrez. Portez à frémissement, couvrez et faites cuire 30 min sur feu doux.

Pendant cette cuisson, préparez la rouille : retirez la croûte de la tranche de pain et émiettez la mie dans un mortier ou dans le bol d'un mixeur en ajoutant quelques gouttes de vinaigre de vin. Ajoutez les gousses d'ail, un peu de sel, le safran, le piment

d'Espelette, et pilez ou mixez en une pâte fine. Ajoutez les jaunes d'œufs, mélangez bien et continuez de piler ou de mixer en ajoutant l'huile d'olive petit à petit, jusqu'à obtention d'une sauce onctueuse et ferme. Rectifiez l'assaisonnement. Versez cette sauce dans un bol et gardez-la au frais.

Retirez la croûte des quatre tranches de pain au levain, coupez-les en croûtons et faites-les frire à la poêle dans un peu d'huile d'olive jusqu'à ce qu'ils soient croustillants. Dressez-les sur un plat avec un bol de parmesan râpé et le bol de rouille.

Quand la soupe est cuite, passez-la au mixeur, puis à travers une passoire fine en pressant bien avec une cuillère en bois pour extraire le maximum de chair de poissons. Faites chauffer la soupe sans la faire bouillir et ajoutez le pastis. Versez la soupe dans une soupière et présentez-la à table avec ses accompagnements. Chacun ajoutera dans son assiette les croûtons frottés d'ail, la rouille et le parmesan râpé.

Ma salade *méchouia*

C'est de loin ma recette fétiche dans la cuisine marocaine : on passe les légumes 20 min sous le gril, on hache le tout finement, on assaisonne avec une pointe de harissa et hop, c'est prêt !

4 tomates mûres

1 poivron vert

1 poivron rouge

1 petit oignon rouge

3 gousses d'ail

1 petit bouquet de persil plat

4 cuil. à soupe d'huile d'olive

1 ou 2 cuil. à soupe de vinaigre de vin rouge (selon votre goût)

harissa (facultatif)

sel, poivre du moulin

Préchauffez le gril du four.

Sur une plaque garnie d'une feuille d'aluminium placée à l'envers (côté brillant vers le bas), déposez les tomates, les poivrons, l'oignon rouge et les gousses d'ail. Placez-les sous le gril du four et faites-les griller en surveillant chaque légume. Tournez-les à mesure qu'ils prennent couleur et noircissent. Les tomates sont prêtes en premier, ensuite les poivrons, l'ail et l'oignon. Cette cuisson prend environ 20 min en tout.

Pelez tous les légumes, épépinez les tomates et les poivrons, puis hachez le tout finement au couteau.

Hachez finement le persil plat. Ajoutez-le à la salade. Incorporez l'huile d'olive et le vinaigre. Salez et poivrez, ajoutez de la harissa si vous le désirez.

Tajine de *kefta* à l'œuf

Un plat unique et économique, qui dit mieux ? Idéal pour recevoir de façon conviviale toute votre tribu ! Si vous ne trouvez pas d'épices pour *kefta*, le *ras el hanout* fera très bien l'affaire : ce mélange d'épices marocaines se déniche dans tous les supermarchés.

500 g de viande hachée (bœuf ou agneau)

2 oignons

4 branches de persil plat

1 petite poignée de coriandre fraîche

1 cuil. à soupe de *ras el hanout* (épices marocaines) ou d'épices pour *kefta*

4 belles tomates mûres

4 cuil. à soupe d'huile d'olive

4 œufs

sel, poivre du moulin

Le matériel :

1 plat à tajine (spécial cuisson) ou 1 cocotte

Hachez finement l'un des deux oignons. Hachez très finement le persil et la coriandre.

Mélangez soigneusement la viande hachée, l'oignon haché, la moitié du persil et de la coriandre, les épices, du sel et du poivre. Façonnez ce mélange en boulettes d'environ 4 cm de diamètre. Gardez-les de côté.

Ébouillantez les tomates quelques secondes puis pelez-les. Râpez-les sur une râpe à gros trous au-dessus du tajine ou de la cocotte. Pelez et râpez également le second oignon, ajoutez le reste de persil, un peu de sel, du poivre et l'huile d'olive. Portez à ébullition, couvrez et faites cuire 10 min sur feu moyen.

Ajoutez les boulettes, couvrez de nouveau et faites cuire encore 20 min.

Soulevez le couvercle du tajine ou de la cocotte, cassez les œufs dans le tajine et laissez cuire 2 ou 3 min sur feu doux sans couvrir. Le blanc des œufs doit cuire mais le jaune doit rester liquide.

Garnissez du reste de coriandre fraîche et servez bien chaud. Vous pouvez accompagner de riz blanc.

Couscous de poulet
aux oignons caramélisés

Voici un couscous qui sort des sentiers battus. Mon petit plus ? La compote d'oignons caramélisés à base d'eau de fleur d'oranger et de cannelle. Elle apportera des saveurs sucrées-salées, si typiques de la cuisine marocaine. On ne s'en lasse pas !

Le poulet :

1 kg de cuisses de poulet fermier coupées en deux (cuisse et haut de cuisse)

2 oignons

1 petit bouquet de persil plat

1 petit bouquet de coriandre fraîche

1 cuil. à café rase de poudre de gingembre

2 pincées de safran en filaments

10 cl d'huile d'olive + un peu pour la cuisson

sel, poivre du moulin

La semoule :

350 g de couscous fin

2 cuil. à soupe d'huile d'olive

80 g de beurre

sel

La compote d'oignons caramélisés (*tfaya*) :

6 oignons

3 cuil. à soupe d'huile d'olive

200 g de raisins de Smyrne

1 cuil. à café de cannelle en poudre

30 g de beurre

1 cuil. à café d'eau de fleur d'oranger

50 g de sucre

poivre du moulin

Le matériel :

1 couscoussier

Hachez finement les oignons, le persil et la coriandre. Mélangez le tout et ajoutez du sel, du poivre, le gingembre, le safran et l'huile d'olive.

Faites chauffer un peu d'huile d'olive dans le fond du couscoussier et faites-y dorer les morceaux de poulet sur toutes les faces. Baissez le feu, ajoutez le mélange précédent et remuez. Couvrez et faites cuire 25 min en ajoutant un peu d'eau pour obtenir une sauce courte et épaisse.

Mélangez le couscous à la main dans un grand récipient avec l'huile d'olive. Ajoutez 25 cl d'eau froide légèrement salée, laissez gonfler 10 min, puis égrenez-la avec deux fourchettes. Versez le couscous dans la partie haute du couscoussier et ajustez celui-ci sur la partie basse. Entourez le joint d'un linge noué et bien serré afin d'empêcher l'échappement de la vapeur. Laissez cuire jusqu'à ce que la vapeur traverse le couscous (environ 20 min). Renouvelez l'égrenage puis procédez à une nouvelle cuisson. Recommencez l'opération encore une fois : le couscous doit cuire trois fois 20 min à la vapeur.

Préparez la compote d'oignons : épluchez et émincez finement les oignons. Faites-les revenir à l'huile d'olive jusqu'à ce qu'ils deviennent translucides. Ajoutez les raisins, la cannelle et le beurre. Poivrez. Faites revenir encore puis mouillez d'eau à hauteur. Ajoutez la fleur d'oranger et faites cuire 15 min. Sucrez et faites encore cuire 15 min. L'eau doit être évaporée mais la compote ne doit pas attacher.

Dressez le couscous dans un grand plat, ajoutez le beurre en petits morceaux et mélangez bien. Creusez une « fontaine » dans le couscous et déposez-y le poulet. Nappez d'oignons caramélisés et servez immédiatement.

Lasagnes bolognaises aux cèpes

Moi, j'adore cuisiner cette recette entre copains. Tout le monde s'y met : pendant que l'un fait la béchamel, l'autre prépare la bolognaise. Comme ça, on divise le temps de préparation et on en profite deux fois plus !

La sauce bolognaise :

250 g de veau haché

1 tranche de jambon hachée

20 g de cèpes séchés

1 oignon

1/2 carotte

10 cm de branche de céleri

4 cuil. à soupe d'huile d'olive

30 cl de coulis de tomate

1 cube de bouillon de bœuf

1 bouquet garni (thym, romarin, laurier, queues de persil)

sel, poivre du moulin

La béchamel :

30 g de beurre

30 g de farine

35 cl de lait

un peu de noix de muscade râpée

150 g de ricotta

40 g de parmesan râpé

sel, poivre du moulin

Les lasagnes :

1 paquet de feuilles de lasagnes fraîches ou séchées

100 g de parmesan râpé

Faites tremper les cèpes séchés 15 min dans un bol d'eau chaude. Égouttez-les et hachez-les grossièrement. Gardez l'eau de trempage. Hachez finement l'oignon, la carotte et le céleri. Faites-les revenir dans l'huile d'olive jusqu'à ce que l'oignon soit translucide. Ajoutez alors le veau et le jambon hachés et faites dorer sur feu moyen en émiettant bien la viande. Ajoutez le coulis de tomate, les cèpes séchés, une partie de leur eau de trempage et enfin le cube de bouillon et le bouquet garni. Salez et poivrez. Faites mijoter quelques minutes en mélangeant puis couvrez et faites cuire 1 h sur feu très doux.

Préparez la béchamel : faites fondre le beurre dans une casserole. Ajoutez la farine en remuant bien avec une spatule. Versez le lait, sans cesser de fouetter. Laissez épaissir en mélangeant, ajoutez sel, poivre et muscade puis faites cuire 15 min sur feu doux. Ajoutez la ricotta et le parmesan, et fouettez vigoureusement. Gardez au tiède.

Préchauffez le four à 220 °C (th. 7-8). Beurrez un plat à gratin. Faites cuire les feuilles de lasagnes selon les instructions de l'emballage et égouttez-les bien à plat sur un linge. Étalez-en dans le fond du plat, recouvrez-les de sauce bolognaise, puis de béchamel. Recommencez jusqu'à épuisement des ingrédients. Terminez par une couche de béchamel. Saupoudrez de parmesan et de noisettes de beurre. Faites gratiner 20 min à four très chaud et servez.

Autour du goûter

Roses des sables
Truffes en chocolat
Madeleines au citron
Pâtes de fruits
Crêpes à la farine de châtaigne
Guimauve à l'eau de rose
Financiers au Nutella®
Brochettes de fruits, fondue de Nutella® à la crème et aux Chamallows®

Roses des sables

C'est la première recette que j'ai faite... et que j'ai brûlée ! J'ai oublié ma casserole sur le feu en faisant fondre mon chocolat. Je voulais épater mes parents et ça a été un vrai loupé. Depuis, je vous rassure, j'ai fait des progrès !

125 g de chocolat noir
125 g de Végétaline®
50 g de sucre glace
150 g de *corn flakes*
Le matériel :
1 sachet de caissettes en papier plissé
   (4 cm de diamètre)

Préparez les caissettes en papier : séparez-les les unes des autres et alignez-les pour les garnir.

Faites fondre au bain-marie le chocolat avec la Végétaline®. Ajoutez le sucre glace en battant bien. Quand tout est bien mélangé et au dernier moment, ajoutez les *corn flakes*.

Rapidement, prenez ce mélange par petites cuillerées et déposez-le dans les caissettes en papier.

Faites durcir 1 h au réfrigérateur.

Truffes en chocolat

Il n'y a pas plus enfantin que cette recette. Pour varier les plaisirs, roulez vos truffes dans des éclats de noisettes, des spéculoos émiettés ou de la noix de coco râpée : un régal !

300 g de très bon chocolat amer
  (plus de 60 % de cacao)
20 cl de crème d'Isigny ou de crème crue de
  Normandie (crème fraîche non fermentée)
2 sachets de sucre vanillé

40 g de beurre demi-sel
1 assiette de cacao en poudre
Le matériel :
1 sachet de caissettes en papier plissé
  pour truffes (2-3 cm de diamètre)

La ganache pour la pâte à truffes se prépare la veille : cassez le chocolat en petits morceaux. Portez la crème à ébullition avec le sucre vanillé ; versez-la sur le chocolat et mélangez bien en tournant avec une spatule jusqu'à obtention d'un mélange homogène. Laissez reposer celui-ci une nuit au réfrigérateur.

Le jour même, faites fondre la ganache au bain-marie. Ajoutez le beurre en petits morceaux et mélangez bien avec une spatule. Laissez refroidir au réfrigérateur jusqu'à ce que la pâte devienne très dure.

Préparez les caissettes en papier : séparez-les les unes des autres et alignez-les pour les garnir.

Façonnez dans vos mains des boulettes de pâte à truffes à la dimension des caissettes, roulez-les dans le cacao en poudre, déposez chaque truffe dans une caissette et faites durcir le tout au moins 2 h au réfrigérateur.

Vous pouvez aussi poser vos truffes sur un plateau garni de papier sulfurisé et les faire durcir ainsi.

Ensuite, rassemblez-les dans un récipient, dans des sachets ou dans une boîte.

Gardez les truffes au frais et consommez-les dans la semaine.

Madeleines au citron

Redécouvrez le plaisir de croquer dans une madeleine encore tiède : tout simple et pourtant si bon ! Et, pour les mordus de chocolat, remplacez le citron par des pépites de chocolat noir ou blanc.

120 g de beurre

   + 30 g pour les plaques à madeleines

1 citron

200 g de farine

1/2 sachet de levure chimique

3 œufs

150 g de sucre

3 cuil. à soupe de lait

Faites fondre le beurre puis laissez-le refroidir.

Râpez finement le zeste du citron. Pressez-le pour en extraire le jus.

Tamisez la farine avec la levure chimique.

Battez les œufs et le sucre jusqu'à ce que le mélange blanchisse. Ajoutez le zeste râpé, le jus de citron et le lait. Ajoutez enfin le beurre fondu.

Laissez reposer cette pâte 15 min au réfrigérateur et préchauffez votre four à 250 °C (th. 8-9).

Beurrez largement les alvéoles des plaques à madeleines. Versez-y la pâte aux trois quarts et enfournez. Baissez immédiatement la température à 200 °C (th. 6-7).

Faites cuire 10 min environ. Lorsque les madeleines sont bien gonflées et légèrement dorées, retirez les plaques du four, démoulez les madeleines, posez-les sur la tranche, chacune dans son alvéole, et laissez-les refroidir.

Pâtes de fruits

J'adore préparer cette recette avec des enfants : les voir mettre la main à la pâte et se concentrer du mieux qu'ils peuvent m'attendrit au maximum. Le meilleur moment ? Les regarder déguster leur œuvre...

À la fraise

320 g de fraises bien parfumées
300 g de sucre semoule
   + un peu pour la pectine
2 cuil. à soupe de pectine (Vitpris®)
sucre cristallisé, pour la finition

À la framboise

300 g de coulis de framboise
300 g de sucre semoule
   + un peu pour la pectine
2 cuil. à soupe de pectine (Vitpris®)
sucre cristallisé, pour la finition

À l'ananas

300 g d'ananas frais épluché
300 g de sucre semoule
   + un peu pour la pectine
2 cuil. à soupe de pectine (Vitpris®)
sucre cristallisé, pour la finition

À la mangue

1 grosse mangue mûre (300 g de chair)
300 g de sucre semoule
   + un peu pour la pectine
2 cuil. à soupe de pectine (Vitpris®)
sucre cristallisé, pour la finition

La technique est la même pour tous les fruits : réduisez-les en purée, faites-les cuire longuement et doucement avec le sucre et, en fin de cuisson, ajoutez la pectine.

Vous pouvez bien entendu adapter cette recette à d'autres fruits : cassis, pêche, abricot, orange, litchi...

Lavez et équeutez les fraises. Épongez-les avec précaution dans un linge et réduisez-les en purée fine au mixeur. Vous devez en obtenir environ 300 g.

Réduisez l'ananas en purée au mixeur. Faites de même pour la mangue.

Dans une casserole, versez la purée de fruit et ajoutez le sucre. Faites cuire et réduire sur feu doux en tournant constamment pendant 20 min environ.

Lorsque le mélange est bien réduit, mélangez la pectine avec un peu de sucre semoule et ajoutez-la. Faites cuire encore 5 min en mélangeant, puis versez dans un récipient carré à fond plat, par exemple un moule antiadhésif.

Laissez durcir 4 à 6 h (le temps qu'elles refroidissent complètement) puis découpez la pâte en carrés et roulez ceux-ci dans le sucre cristallisé.

Crêpes à la farine de châtaigne

Qui n'a jamais essayé de faire sauter une crêpe dans une poêle ? Et surtout, qui a réussi ? Pour retrouver ces parties de rigolade en famille, lancez-vous dans cette pâte à crêpes originale qui mêle farine de blé et farine de châtaigne.

180 g de farine de châtaigne (en supermarché bio)	**3 œufs**
70 g de farine de blé	**40 g de beurre fondu**
1 pincée de sel	**40 cl de lait**
1 cuil. à soupe rase de sucre	**10 cl de Perrier®**
	beurre pour la cuisson

Tamisez la farine de châtaigne dans un saladier. Tamisez ensuite la farine de blé dans le même récipient ; ajoutez le sel et le sucre, puis mélangez bien.

Ajoutez les œufs un par un en fouettant. Battez bien jusqu'à ce que la pâte soit lisse et sans grumeaux.

Ajoutez le beurre tiède, mélangez bien et délayez cette pâte avec le lait ajouté petit à petit, puis le Perrier®.

Laissez reposer cette pâte 1 h dans un endroit tiède. Remuez-la avant de l'utiliser car elle a sans doute un peu épaissi : ajoutez alors de l'eau ou du lait.

Faites chauffer un peu de beurre dans une poêle antiadhésive et faites-y cuire les crêpes une à une, comme des crêpes ordinaires.

Dégustez ces crêpes avec du miel, du sucre ou tout autre accompagnement classique : confitures, Nutella®, etc.

Guimauve à l'eau de rose

C'est tellement facile et pourtant on n'a jamais le réflexe de faire des guimauves « maison ». Alors là, plus d'excuse : suivez cette recette pas à pas et à vous ces douceurs d'enfance aux couleurs pastel !

50 g de Maïzena®
50 g de sucre glace
un peu d'huile végétale
40 g de gélatine en feuilles
   (20 feuilles de gélatine de 2 g chacune)
les blancs de 4 petits œufs ou de 3 gros
   (environ 100-110 g en tout)
800 g de sucre semoule

1 cuil. à soupe de miel liquide
4 cuil. à soupe d'eau de rose
1 goutte de colorant alimentaire carmin
Le matériel :
1 moule rectangulaire ou un plat à gratin
   en métal à bord haut, d'environ 30 cm
   de longueur et 20 cm de largeur

Mélangez la Maïzena® et le sucre glace. Huilez le moule puis versez-y le mélange poudreux. Secouez et inclinez le moule afin de bien le recouvrir. Versez l'excédent dans une assiette creuse.

Faites tremper les feuilles de gélatine dans de l'eau froide pour les ramollir.

Au batteur fixe ou, à défaut, à la main, battez les blancs d'œufs en neige souple. Ajoutez 40 g de sucre semoule sans cesser de battre jusqu'à obtenir une masse mousseuse.

Pendant ce temps, faites bouillir le reste de sucre avec 20 cl d'eau et le miel. Faites cuire environ 7 min.

Versez l'eau de rose dans une casserole, ajoutez le colorant et faites tiédir sans bouillir. Ajoutez la gélatine égouttée et mélangez hors du feu pour la dissoudre.

Lorsque la cuisson du sucre est terminée, retirez-le du feu et ajoutez-y le mélange gélatine-eau de rose-colorant. Mélangez soigneusement et versez précaution-neusement sur la meringue le sucre bouillant en filet. Continuez de battre jusqu'au refroidissement de la meringue, mais ne laissez pas trop durcir celle-ci : versez-la dans le moule préparé. Égalisez la surface et mettez au réfrigérateur pour 2 h.

Lorsque la guimauve est bien ferme, sortez-la du réfrigérateur et saupoudrez-la d'un peu de mélange Maïzena®-sucre glace. Démoulez-la et détaillez-la en cubes. Roulez ces cubes dans le mélange poudreux et secouez-les pour éliminer l'excédent.

Mes petits conseils :
• Utilisez des blancs d'œufs à température ambiante.
• C'est plus facile avec un batteur électrique fixe. Mais, à défaut, vous pouvez bien sûr avoir recours à un batteur électrique à main. Prévoyez juste un récipient assez profond pour confectionner la meringue et sachez que le travail sera un peu plus acrobatique.
• Vous pouvez évidemment employer d'autres arômes : eau de fleur d'oranger, eau de lavande, arômes concentrés de fruits (fraise, ananas, citron, orange, framboise...) ou extrait de vanille, etc. Utilisez alors des colorants en accord avec le parfum choisi, mais pas plus d'1 ou 2 gouttes.

Préparation : **15 min** - Repos au frais : **1 h** - Cuisson : **10** à **12 min** -
Pour **4** personnes

Financiers au Nutella®

Les deux meilleures façons de savourer le Nutella® ? Ces financiers dont je vous livre la recette... et tremper directement son doigt dans le pot !

130 g de sucre glace
50 g de farine
50 g de poudre d'amandes
1 pincée de levure chimique
4 blancs d'œufs
70 g de beurre + 40 g pour les moules
1 pot de Nutella®

Le matériel :
4 moules à financier, à tartelette
ou 4 moules à manqué

À l'aide d'un batteur électrique, mélangez le sucre glace, la farine, la poudre d'amandes et la levure. Ajoutez les blancs d'œufs. Ce mélange doit être soigneusement battu (si vous avez la chance de posséder un batteur fixe, son utilisation est vivement conseillée mais un batteur électrique à main peut également faire l'affaire).

Faites fondre le beurre sur feu moyen jusqu'à ce qu'il prenne une couleur noisette. Laissez-le tiédir, puis ajoutez-le à la pâte sans cesser de battre.

Couvrez la pâte d'un film étirable et laissez-la reposer au moins 1 h au réfrigérateur.

Préchauffez le four à 180 °C (th. 6).

Beurrez les moules. Versez un peu de pâte dans chaque moule et ajoutez 1 cuil. à soupe de Nutella® (environ 30 g) par moule. Recouvrez ensuite du reste de pâte.

Faites cuire 10 à 12 min environ. Surveillez la cuisson : les financiers doivent être bien dorés. Démoulez-les et laissez-les tiédir.

Dégustez-les tièdes ou froids.

Brochettes de fruits,
fondue de Nutella® à la crème
et aux Chamallows®

Ce qui est sympa dans la fondue au chocolat, c'est tout le tralala qui va avec : les cubes de brioche ou les Chamallows® à tremper directement dans le chocolat fondu et les rires des enfants qui perdent une fraise dans le fond du caquelon.

fruits de saison selon votre inspiration :
  pomme, poire, ananas, banane, fraise,
  mangue, prune, figue, etc.
le jus d'1 citron
1 sachet de Chamallows®, ou de la guimauve
  que vous aurez préparée vous-même
  (voir p. 116) ou achetée chez le pâtissier

200 g de Nutella®
20 cl de crème liquide
Le matériel :
matériel à fondue (réchaud et poêlon)
des piques à brochettes en bois

Épluchez les fruits et découpez-les en dés d'égale grosseur. Les fraises peuvent être laissées entières si elles sont petites. Les fruits qui s'oxydent à l'air (pomme, poire, banane notamment) doivent être citronnés.

Découpez les Chamallows® ou la guimauve en dés de 3 cm de côté environ.

Piquez les fruits et les dés de Chamallows® ou de guimauve en les alternant sur les brochettes en bois.

Dans une petite cocotte ou un poêlon, délayez le Nutella® avec la crème liquide. Faites chauffer le mélange et portez-le à table sur un réchaud : la fondue doit être gardée au chaud sans bouillir. Apportez ensuite les brochettes de fruits aux Chamallows® : chacun trempera sa brochette dans la fondue de Nutella®.

Encore et toujours des desserts

Soufflé au citron de Menton

J'ai une passion dévorante pour les citrons de Menton. Ils donnent à ce soufflé un goût acidulé incomparable. À servir en dessert ou pour un petit dej' les yeux dans les yeux : avec un *milk-shake* et deux pailles évidemment !

40 cl de lait

1 beau citron de Menton, non traité

8 œufs

80 g de sucre semoule + 40 g pour monter
   les blancs d'œufs + un peu pour les moules

40 g de Maïzena®

30 g de beurre

sucre glace pour décorer

Le matériel :

1 grand moule à soufflé
   (ou 6 moules individuels)

Faites bouillir le lait puis ôtez-le du feu.

Râpez finement le zeste du citron, puis pressez le jus.

Séparez les blancs des jaunes d'œufs. Comptez huit jaunes et sept blancs.

Dans une casserole, fouettez les jaunes d'œufs avec le sucre semoule jusqu'à ce que le mélange blanchisse. Sans cesser de fouetter, ajoutez la Maïzena®, le jus de citron et les zestes râpés, puis le lait petit à petit. Posez cette préparation sur feu doux et faites-la cuire sans cesser de tourner, jusqu'à ce qu'elle épaississe. Versez-la dans un récipient et couvrez-la directement d'une feuille de film étirable pour la laisser tiédir en évitant la formation d'une croûte.

Préchauffez le four à 190 °C (th. 6-7).

Quand la crème est tiède, battez les blancs d'œufs en neige. Quand ils commencent à monter, ajoutez le sucre en pluie. Finissez de monter les blancs en neige bien ferme. Incorporez d'abord, à l'aide d'une spatule, le tiers des blancs à la crème au citron, puis les deux tiers restants.

Beurrez le (ou les) moule(s). Saupoudrez l'intérieur de sucre et répartissez-le en faisant tourner le moule. Versez la préparation et faites cuire au four 25 min environ pour un grand soufflé, 11 min pour les soufflés individuels. Vous devez voir le soufflé monter.

Servez-le immédiatement à la sortie du four, saupoudré de sucre glace.

Tarte aux fraises et son caramel de vinaigre balsamique

Voici ma recette de tarte aux fraises pour faire craquer les filles. Ma botte secrète ? Un caramel innovant que j'obtiens en faisant réduire du vinaigre balsamique. Mmmmmmmmmmm !

30 cl de vinaigre balsamique

1 rouleau de pâte sablée, pur beurre

20 cl de lait

1 cuil. à soupe de Maïzena®

15 cl de crème liquide

1 cuil. à soupe de sucre semoule

500 g de belles fraises

Préchauffez le four à 180 °C (th. 6).

Faites réduire le vinaigre balsamique dans une casserole jusqu'à ce qu'il soit très épais et sirupeux. Retirez-le du feu.

Étalez la pâte dans un moule à tarte. Recouvrez le fond de papier sulfurisé et garnissez-le de haricots secs ou de poids pour pâtisserie. Faites cuire la pâte 25 min au four en surveillant la coloration des bords. S'ils dorent trop vite, protégez-les avec une feuille d'aluminium. Sortez le fond de tarte du four, retirez les poids et le papier sulfurisé. Laissez refroidir.

Pendant ce temps, préparez la crème. Faites bouillir le lait et ajoutez la poudre pour crème pâtissière en fouettant vivement jusqu'à obtention d'une crème épaisse. Retirez du feu et laissez refroidir.

Fouettez la crème en chantilly avec le sucre. Incorporez-la à la crème pâtissière froide.

Lavez, égouttez et équeutez les fraises. Coupez-les en deux si elles sont grosses, sinon laissez-les entières.

Étalez la crème sur le fond de tarte, puis disposez-y les fraises bien serrées. À l'aide d'une cuillère, nappez les fruits de caramel de balsamique.

Servez frais.

Tarte Tatin de pêches et lait d'amandes

Ce dessert fondant est encore meilleur quand on le prépare avec des pêches bien parfumées et gorgées de soleil... Essayer cette tatin, c'est l'adopter !

La tarte :

8 pêches blanches ou jaunes

100 g d'amandes fraîches décortiquées

80 g de sucre

1 rouleau de pâte feuilletée, pur beurre

Le lait d'amandes :

200 g de sucre

100 g d'amandes entières mondées

10 cl de lait

10 cl de crème liquide

Le matériel :

1 moule à tarte antiadhésif
    de 28 cm de diamètre

Préparez le lait d'amandes : faites un sirop en portant le sucre à ébullition avec 35 cl d'eau. Laissez refroidir. Mixez les amandes avec le sirop, le lait et la crème. Faites tourner le mixeur assez longtemps pour obtenir un liquide fin et mousseux. Passez-le au chinois fin et gardez-le au frais.

Pelez les pêches (au besoin, ébouillantez-les quelques secondes pour les peler plus facilement). Coupez-les en gros quartiers. Pelez les amandes fraîches.

Préchauffez le four à 180 °C (th. 6).

Faites fondre le sucre dans une poêle avec quelques gouttes d'eau. Faites cuire jusqu'à la formation d'un caramel. Retirez du feu et versez immédiatement ce caramel dans le moule à tarte. Étalez-le sur toute la surface du moule. Répartissez-y les morceaux de pêche.

Déroulez la pâte feuilletée et piquez-la avec une fourchette. Appliquez-la sur le moule à tarte en insérant le bord de la pâte entre les pêches et toute la circonférence du bord du moule. Mettez au four et faites cuire 35 min environ, jusqu'à ce que la pâte ait pris une couleur dorée uniforme.

Sortez la tarte du four et retournez-la sur un grand plat. Parsemez d'amandes fraîches et servez avec le lait d'amandes dans un petit pichet. Chaque convive ajoutera un peu de lait d'amandes autour de sa part de tarte.

Vous pouvez raffiner encore en servant une boule de glace à la vanille par personne.

Biscuits coulants au chocolat

Au resto, c'est le dessert qui remporte le plus de succès. Son cœur coulant fait l'unanimité... Voilà bien un dessert qu'on ne partage pas !

150 g de sucre

75 g de farine

140 g de chocolat noir

140 g de beurre mou + 20 g pour les moules

5 œufs

Le matériel :

6 à 8 moules à tartelette

    de 12 cm de diamètre environ

Préchauffez le four à 180 °C (th. 6).

Beurrez généreusement les moules.

Mélangez le sucre et la farine. Faites fondre le chocolat et le beurre au bain-marie, ou au micro-ondes, mais tout doucement : le chocolat ne doit pas brûler.

Lorsque le tout est bien fondu, cassez les œufs, battez-les et incorporez-les au chocolat. Ajoutez le mélange farine-sucre.

Répartissez la pâte dans les moules beurrés, glissez les moules au four et faites cuire environ 6 à 8 min. La surface des biscuits ne doit plus être liquide, mais elle doit être souple. Testez la cuisson avec la pointe d'un couteau : il doit rester de la pâte dessus.

Démoulez ces biscuits avec précaution et mangez-les encore chauds.

Préparation : **40 min** - Cuisson : **15** à **20 min** - Repos au frais : **3 h** au moins
Pour **4** personnes

Petits pots de crème aux trois parfums et mikados

Un trio gourmand qu'on peut préparer la veille avec un coup de cœur pour le pistache-litchi. La petite faiblesse qui vous perdra ? Mon tour de main pour réussir des mikados géants !

50 cl de crème liquide

20 cl de lait

6 œufs frais

150 g de sucre (3 x 50 g)

La crème à la pistache :

40 g de pistaches décortiquées et mondées

2 cuil. à café de miel

La crème au litchi :

environ 6 litchis au sirop, égouttés

2 cuil. à café d'eau de rose

La crème à la mangue :

1/2 mangue bien mûre ou 15 cl de jus
    de mangue bien épais

Les mikados :

100 g de chocolat noir

100 g de noix de coco râpée

1 paquet de gressins italiens très fins

Le matériel :

12 petits verres épais ou ramequins
    (environ 10 cl de capacité)

Mixez le plus finement possible les pistaches au robot.

Mixez les litchis en une fine purée en ajoutant l'eau de rose.

Si vous n'utilisez pas de jus, épluchez et mixez la demi-mangue en une purée fine.

Préchauffez le four à 180 °C (th. 6).

Portez la crème liquide et le lait à ébullition. Retirez du feu et couvrez.

Cassez les œufs dans trois bols (deux par bol). Répartissez-y le sucre de façon égale. Dans chaque bol, battez les œufs avec le sucre jusqu'à ce que le mélange soit pâle et mousseux.

Dans un bol, ajoutez la poudre de pistache et le miel, puis mélangez. Versez la purée de litchi dans le deuxième bol et la purée de mangue dans le troisième. Mélangez bien. Tout en fouettant, répartissez également la crème chaude dans les trois bols. Fouettez bien et passez chaque mélange au chinois dans les douze petits pots.

Disposez ceux-ci dans un plat à gratin. Versez-y de l'eau à mi-hauteur et enfournez avec précaution. Une fois le four fermé, baissez sa température à 160 °C (th. 5-6) et laissez cuire de 15 à 20 min. La surface des crèmes doit être ferme ; sortez le plat

du four et laissez refroidir les crèmes dans le bain-marie. Couvrez chacune de film étirable et réservez-les au frais durant au moins 3 h.

Préparez les mikados : faites fondre le chocolat. Versez la noix de coco râpée dans une assiette. Quand le chocolat est fondu, trempez-y les gressins sur les deux tiers de leur longueur, égouttez-les brièvement, puis passez une partie de la surface chocolatée dans la noix de coco râpée. Plantez les mikados dans des verres pour les faire sécher.

Servez les petites crèmes bien froides avec les mikados.

Tarte chocolat-banane

Un de mes goûters fétiches en plein hiver ? Une part de cette tarte encore tiède avec un cappuccino bien crémeux. Nirvana garanti !

100 g de farine	**La ganache :**
40 g de sucre	**150 g de chocolat noir**
60 g de beurre mou	**1 œuf entier + 2 jaunes**
2 œufs	**30 g de sucre semoule**
3 bananes	**100 g de beurre fondu**
2 cuil. à café de cannelle en poudre	**Le matériel :**
	1 moule à tarte de 24 cm de diamètre environ

Mélangez la farine et le sucre ; ajoutez le beurre en petits morceaux et travaillez le tout du bout des doigts jusqu'à l'obtention d'un mélange granuleux. Ajoutez les œufs et ramassez le tout en une boule de pâte, enveloppez-la de film étirable et réservez-la 1 h au réfrigérateur.

Au bout de ce temps, préchauffez le four à 180 °C (th. 6). Étalez la pâte au rouleau, garnissez-en le moule et piquez-la avec une fourchette. Faites-la cuire 15 min au four.

Pendant ce temps, préparez la ganache. Faites fondre le chocolat au micro-ondes dans un bol assez grand. Lissez-le bien avec une spatule. Ajoutez l'œuf entier, les jaunes, le sucre et le beurre fondu.

Épluchez les bananes et écrasez-les à la fourchette dans un bol en ajoutant la cannelle.

Lorsque le fond de tarte est cuit à blanc, sortez-le du four. Laissez-le légèrement tiédir. Ajoutez les bananes écrasées, étalez-les sur toute la surface. Ajoutez la ganache et remettez la tarte au four. Faites cuire 10 min.

Mangez cette tarte tiède ou froide.

Soupe au chocolat

Tout le monde m'a tanné... Ca y est, la voilà ma soupe au chocolat. De quoi affirmer haut et fort : « C'est moi qui l'ai faite ! ». Mais surtout, gardez la recette pour vous !

300 g de chocolat noir
400 g de crème liquide (à fouetter)
200 g de crème liquide (à faire chauffer)

La crème liquide à fouetter doit être bien froide. Pour mieux la monter, versez-la dans un récipient que vous aurez mis au congélateur 1 h à l'avance. Fouettez-la avec un batteur électrique à main jusqu'à ce qu'elle soit mousseuse et ferme.

Coupez le chocolat en petits morceaux. Faites chauffer les 200 g de crème liquide avec le chocolat jusqu'à ce que celui-ci soit complètement fondu.

Laissez tiédir cette ganache et ajoutez délicatement la crème fouettée, en soulevant le mélange avec une spatule.

Si cette soupe au chocolat durcit, vous pouvez la faire fondre légèrement au four à micro-ondes avant de la servir.

Papillotes de fruits

Une divine association entre des fruits rôtis et quelques noisettes. À vous de jouer sur le contraste chaud-froid en rajoutant une boule de glace juste avant de servir.

1 barquette de framboises (125 g)

1 mangue

1 ananas

1 orange

1 citron

4 petits bâtonnets de cannelle

50 g de noisettes mondées et concassées

3 cuil. à soupe de sucre

50 cl de glace à la vanille

Le matériel :

du papier sulfurisé

Préchauffez le four à 175 °C (th. 6).

Préparez quatre disques de papier sulfurisé de 20 cm de diamètre. Pour les découper, pliez une feuille en deux et découpez-la en demi-cercles, puis dépliez-les.

Épluchez la mangue et l'ananas ; coupez-les en cubes de 3 cm environ.

Prélevez le zeste de l'orange et du citron avec un couteau zesteur.

Au centre de chaque feuille de papier sulfurisé, répartissez les cubes de mangue et d'ananas. Ajoutez les framboises, les zestes préalablement râpés, la cannelle et les noisettes. Saupoudrez de sucre.

Fermez les papillotes en froissant les bords. Posez-les sur une plaque à pâtisserie et faites-les cuire 8 min.

Ouvrez les papillotes à table, déposez une boule de glace vanille sur chacune et dégustez sans attendre.

Préparation : de **10** à **15 min** (pour chaque granité)
Repos au congélateur : **2 h 30** environ - Pour **4** personnes

Trois granités

Un dessert en vogue pourtant ultra-simple à réaliser. Idéal pour finir un dîner sur une note frappée.

Granité au cacao :
30 g de cacao en poudre de bonne qualité
40 g de sucre
40 cl d'eau
Granité champagne-framboise :
25 cl de champagne rosé
3 cuil. à soupe de coulis de framboise

40 g de sucre
2 cuil. à soupe d'eau
Granité poire-cardamome :
2 demi-poires au sirop + le sirop
2 gousses de cardamome verte
sucre (facultatif)

Pour le granité au cacao : mélangez le cacao et le sucre. Dans une casserole, délayez-les dans un peu d'eau. Ajoutez le reste d'eau et faites chauffer sur feu doux jusqu'à frémissement. Le mélange doit être bien homogène. Laissez-le refroidir.

Pour le granité champagne-framboise : délayez le sucre dans l'eau et faites chauffer jusqu'à obtention d'un sirop. Laissez refroidir. Ajoutez le coulis de framboise et le champagne.

Pour le granité poire-cardamome : versez dans une casserole 10 cl de sirop des poires. Écrasez les gousses de cardamome avec le plat de la lame d'un grand couteau. Sortez les graines et écrasez-les aussi. Ajoutez le tout, gousses et graines, au sirop. Portez à ébullition et retirez du feu. Laissez refroidir. Filtrez à travers une passoire fine. Mixez les poires avec le sirop à la cardamome. Goûtez : si, à votre avis, le mélange manque de sucre, ajoutez-en et mélangez bien (souvenez-vous que le sucre est moins perceptible dans les mélanges glacés).

Pour les trois granités : versez chaque mélange dans un bac rectangulaire en métal ou en plastique. Mettez-les au congélateur, attendez 1 h puis remuez les mélanges avec une fourchette afin de briser les cristaux de glace. Remettez au congélateur et recommencez l'opération six fois toutes les 20 min.

Vous pouvez servir ces granités en les raclant avec une cuillère. Disposez-les dans des verres (ce qui fait trois verres par personne) et servez immédiatement.

Ces trois granités peuvent être servis individuellement (augmentez les proportions dans ce cas), mais ils produiront un effet spectaculaire s'ils sont servis tous les trois. Le choix des parfums est prévu pour ce mode de service.

Cheesecake à l'ananas

Cette recette est un cadeau de Philippe Conticini. En vous la révélant, je veux lui rendre hommage...

Le crumble :

350 g de sablés au beurre ou de spéculoos

75 g de beurre fondu

50 g de sucre vergeoise (si vous utilisez des spéculoos, remplacez par du sucre semoule)

La crème de *cheesecake* :

2 feuilles de gélatine

20 cl de crème liquide

55 g de sucre semoule

10 g de sucre glace

2 jaunes d'œufs

170 g de *cream cheese* (Philadelphia® ou Kiri®)

20 cl de crème liquide

La compote d'ananas :

350 g de chair d'ananas frais coupée en cubes de 3 mm

le jus d'1 citron

75 g de sucre semoule + 1 cuil. à soupe

1 pincée de sel

1 cuil. à soupe de gélifiant à confiture (Vitpris®)

Préchauffez le four à 170 °C (th. 5-6). Pulvérisez les biscuits au robot. Ajoutez le beurre fondu et le sucre, puis travaillez ce mélange du bout des doigts pour obtenir une texture sableuse. Sur une plaque à pâtisserie recouverte de papier sulfurisé, étalez le crumble, sans l'écraser, en une couche bien égale. Faites cuire de 10 à 12 min au four. Laissez refroidir.

Dans une casserole, réunissez l'ananas, le jus de citron, les 75 g de sucre et le sel. Faites cuire 10 min sur feu vif, puis ajoutez le gélifiant mélangé au reste de sucre, remuez et faites cuire encore 2 min. Laissez refroidir.

Versez le sucre, le sucre glace et les jaunes d'œufs dans un récipient rond en métal. Mélangez avec une fourchette, puis posez le récipient sur une casserole d'eau chaude mais non bouillante. Battez les jaunes et le sucre à l'aide d'un fouet électrique. Lorsque le mélange a doublé de volume et que les pales du batteur y laissent des traces nettes, cessez de battre et retirez ce sabayon du bain-marie.

Faites tremper la gélatine dans de l'eau bien froide. Fouettez la crème en chantilly. Faites légèrement tiédir le fromage en le fouettant. Ajoutez-le au sabayon. Égouttez la gélatine et faites-la fondre dans 1 cuil. à soupe d'eau chaude. Ajoutez la gélatine au mélange précédent, fouettez vivement puis incorporez délicatement la crème fouettée.

Dans des verres, déposez 2 cuil. à soupe de compote d'ananas. Couvrez d'une couche de crumble d'1 cm environ, puis d'une couche de 3 cm de crème de *cheesecake*. Réservez 4 h au frais. Avant de servir, décorez la crème d'un peu de crumble et d'1 cuil. à café de compote d'ananas sur un côté.

Crèmes brûlées aux fruits de la Passion et aux fruits rouges

C'est clairement le côté acidulé de tous ces fruits qui rend ce dessert si savoureux. Et pour profiter pleinement de vos soirées entre copains, préparez votre crème brûlée la veille et caramélisez-la au dernier moment.

6 fruits de la Passion

6 jaunes d'œufs

140 g de sucre

15 cl de lait

50 cl de crème liquide

100 g de cassonade

1 barquette de framboises (125 g)

1 barquette de fraises des bois ou 200 g

  de petites fraises

  (mara des bois par exemple)

Coupez cinq fruits de la Passion en deux et recueillez le jus dans un bol à travers une passoire fine en remuant bien pour exprimer le maximum de jus. Ajoutez le jus et les graines du sixième fruit de la Passion. Mélangez bien.

Battez les jaunes d'œufs avec le sucre jusqu'à ce que le mélange soit pâle et onctueux. Ajoutez le jus et la pulpe de fruit de la passion, le lait et la crème. Couvrez d'un film étirable et laissez reposer 1 h au frais.

Le lendemain, préchauffez le four à 90 °C (th. 3). Nettoyez les fruits rouges. Versez le mélange dans des ramequins, ajoutez les fruits rouges et faites cuire environ 1 h au four. Laissez refroidir et gardez les ramequins au moins 4 h au réfrigérateur.

Saupoudrez la surface des crèmes de cassonade et passez-les quelques instants sous le gril du four ou au chalumeau afin de caraméliser la couche de sucre. Servez immédiatement.

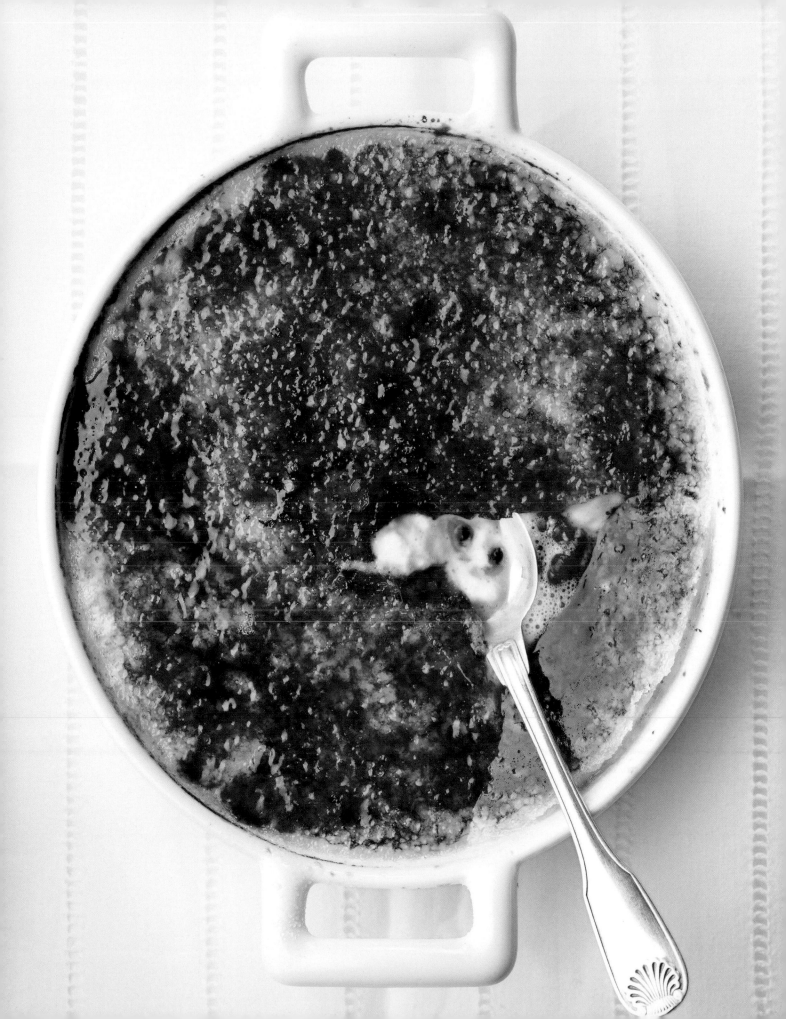

Mousse au chocolat au lait, au citron et au gingembre

Pour vous faire mousser auprès des becs sucrés, lancez-vous dans ce dessert inratable. Inratable certes, mais surtout détonant : le trio chocolat au lait-zeste de citron-gingembre râpé en épatera plus d'un !

40 cl de crème liquide
20 g de sucre semoule
le zeste d'1 citron
1 cuil. à café de gingembre frais
   finement râpé
4 jaunes d'œufs
300 g de chocolat au lait

1 h à l'avance, placez un saladier au congélateur. De même, la crème liquide doit être gardée dans la partie la plus froide du réfrigérateur.

Fouettez la crème à l'aide d'un batteur électrique à main dans le saladier refroidi, jusqu'à ce qu'elle soit légère et ferme.

Mélangez le sucre et 1,5 cuil. à soupe d'eau dans une petite casserole et faites fondre le sucre sur feu doux en remuant très souvent. Le sucre ne doit surtout pas prendre couleur. Dès l'ébullition, retirez du feu. Ajoutez le zeste de citron râpé et le gingembre. Laissez refroidir.

Fouettez les jaunes d'œufs à l'aide d'un batteur à main jusqu'à ce qu'ils soient légers et onctueux. Ajoutez petit à petit le sirop chaud aromatisé au gingembre et au zeste de citron, sans cesser de battre. Fouettez jusqu'à ce que le mélange prenne du volume et soit tiède.

Faites fondre le chocolat au lait au micro-ondes en le remuant régulièrement afin qu'il soit onctueux et homogène.

Incorporez, toujours avec le batteur à main, le chocolat chaud dans le mélange aux œufs battus. Lorsque le mélange est homogène, incorporez délicatement la crème fouettée à l'aide d'une spatule.

Vous pouvez servir cette mousse immédiatement, mais je vous conseille de la garder au moins 3 h au réfrigérateur afin de laisser infuser les arômes.

Mille-feuille gourmand aux fraises

Plus vos fraises seront savoureuses, plus vous excellerez dans cette recette. Alors, si vous mettez la main sur des gariguettes ou des maras des bois, ne vous privez pas !

1 rouleau de pâte feuilletée, pur beurre

400 g de fraises

sucre glace

200 g de crème double (crème crue
de Normandie, AOC Isigny)

100 g de sucre

5 cl de liqueur de fraises des bois

Les premières étapes de cette recette peuvent être préparées quelques heures à l'avance. La finition prend à peu près 20 min.

Préchauffez le four à 180 °C (th. 6).

Déroulez la pâte feuilletée en la laissant sur sa feuille de papier sulfurisé et laissez-la revenir à température ambiante. À l'aide d'un rouleau, étalez la pâte très finement (2-3 mm d'épaisseur) et détaillez-la en six carrés de 10 cm de côté. Déposez ces carrés sur une plaque à pâtisserie antiadhésive. Posez une seconde plaque sur la première et mettez le tout au four. Faites cuire 10 min, puis baissez la température du four à 150 °C (th. 5) et faites cuire encore 20 min. Sortez les plaques du four, retirez avec précaution la plaque supérieure et laissez refroidir les carrés de feuilletage.

Lavez et équeutez les fraises. Coupez-les en quatre. Mélangez le sucre et la crème, laissez reposer 20 min. Ajoutez les fraises et la liqueur, mélangez bien. Réservez au frais jusqu'au moment de préparer le mille-feuille.

Peu avant de servir, préchauffez votre four à 250 °C (th. 8-9). Coupez vos carrés de feuilletage en deux. Posez-les sur une plaque antiadhésive et saupoudrez-les de sucre glace. Faites caraméliser au four en surveillant la coloration. Sortez les plaques de feuilletage du four et laissez-les refroidir. Garnissez-les de la crème aux fraises de la façon suivante : sur chaque assiette, posez une plaque de feuilleté. Garnissez de crème, posez une autre plaque et recouvrez-la du reste de crème. Terminez avec une troisième plaque et servez aussitôt.

Vous pouvez ajouter une boule de sorbet du commerce, à la fraise ou à la fraise des bois.

Tiramisu de framboises à la rose

J'ai complètement revisité ce grand classique italien en jouant sur le duo framboise et rose. Et croyez-moi, il a été testé et approuvé plus d'une fois auprès de mes copines...

400 g de framboises fraîches
50 g de sucre pour les framboises
  + 35 g pour le mascarpone
125 g de mascarpone
2 jaunes d'œufs très frais

125 g de crème liquide
1 cuil. à soupe d'eau de rose
12 biscuits à la cuillère
un peu de poudre de cacao

Mélangez les deux tiers des framboises avec le sucre en remuant bien pour les écraser légèrement. Réservez au frais pendant 1 h.

Battez le mascarpone et les 35 g de sucre jusqu'à dissolution complète de celui-ci. Ajoutez les jaunes d'œufs et mélangez bien.

Fouettez la crème liquide selon les instructions de la recette de la mousse au chocolat au lait (voir p. 155). Fouettez énergiquement la crème au mascarpone avec la moitié de la crème fouettée, puis incorporez délicatement l'autre moitié avec une spatule. Ajoutez l'eau de rose, mélangez doucement et gardez au frais, recouvert de film étirable.

Égouttez les framboises dans une passoire. Cassez les biscuits en deux. Imbibez-les du jus des framboises.

Dans quatre verres à whisky ou quatre coupes en verre, déposez un peu de biscuits émiettés puis recouvrez des framboises égouttées. Recouvrez d'une couche de biscuits imbibés et recouvrez de la mousse au mascarpone. Saupoudrez légèrement de cacao en poudre. Gardez les verres au moins 2 h au réfrigérateur et servez très frais.

Préparation : **15 min** (gianduja) + **30 min** environ (pâte à tartiner)
Pour **650 g** de gianduja

Pâte à tartiner au *gianduja*

Je suis fan de pâtes à tartiner : voici la mienne au gianduja. J'adore m'en faire des tartines à l'heure du goûter. À déguster devant la télé avec un bol de chocolat chaud.

Le *gianduja* « maison » :
125 g de noisettes entières mondées
125 g d'amandes entières mondées
200 g de sucre glace
100 g de cacao en poudre
100 g de chocolat blanc

La pâte à tartiner :
200 g de gianduja
50 g de sucre
10 cl de lait
40 g d'huile de tournesol
40 g de beurre
cacao en poudre (facultatif)
50 g de noisettes grillées (facultatif)

Le *gianduja* se prépare avec du beurre de cacao, mais il est plus simple d'utiliser du chocolat blanc (qui est, à la base, du beurre de cacao additionné de sucre et de lait) et de réduire la quantité de sucre de la recette classique.

Mixez le plus finement possible les noisettes et les amandes avec le sucre glace et la poudre de cacao. Faites fondre le chocolat blanc au micro-ondes et ajoutez le mélange précédent au chocolat blanc fondu. Mélangez bien et gardez le *gianduja* au réfrigérateur dans un récipient bien fermé.

Pour obtenir la pâte à tartiner, coupez le *gianduja* en petits morceaux et mettez-le dans un saladier ou un cul-de-poule placé sur un bain-marie d'eau frémissante. Ajoutez le sucre, le lait, l'huile et le beurre, ainsi que du cacao en poudre si vous désirez une pâte à tartiner très forte en cacao. Laissez fondre tout doucement, sur feu très doux, en remuant de temps en temps jusqu'à ce que la pâte soit homogène. Versez-la dans un bocal en verre à fermeture à vis.

Si vous désirez que votre pâte à tartiner ait une texture croquante, ajoutez au mélange les noisettes grillées concassées.

Blinis à la myrtille

Mode d'emploi : patientez jusqu'à l'heure du goûter, déposez une petite noisette de beurre et 1 cuil. à café de miel sur ces blinis encore chauds et croquez le tout à pleines dents !

50 cl de lait

15 g de levure de boulanger

300 g de farine

15 g de sucre semoule

15 cl de crème fraîche

1 pincée de sel

2 blancs d'œufs

2 barquettes de myrtilles (250 g)

beurre pour la cuisson

beurre et miel liquide pour servir

Le matériel :

2 poêles à blini

Faites tiédir le lait, versez-en un peu dans un bol et délayez-y la levure. Tamisez la farine dans un saladier, ajoutez-y le lait et la levure, le sucre, la crème et le sel. Mélangez bien pour obtenir une pâte homogène. Couvrez le saladier d'un linge propre et laissez lever 1 h dans un endroit tiède.

Battez les blancs d'œufs en neige bien ferme. Ajoutez-les à la pâte délicatement, à l'aide d'une spatule. Ajoutez les myrtilles et mélangez avec précaution.

Faites chauffer deux poêles beurrées sur deux feux différents. Prenez de la pâte avec une louche, versez-la dans les poêles et retournez chaque blini quand la surface cesse d'être liquide. Faites cuire l'autre face jusqu'à ce qu'elle soit dorée.

Pour épater

Tartare de thon frais aux agrumes
Crumble de dorade au basilic, févettes, girolles et chorizo
Noix de saint-jacques au lard, purée de châtaignes
Mille-feuille de chèvre frais à la sarriette
Salade de poulet caramélisé au miel
Ravioles de foie gras aux cèpes
Risotto de langoustines au pain d'épice et au chèvre
Terrine de foie gras sur pain d'épice
Salade de homard aux figues fraîches
Gigot de sept heures
Filet mignon de porc à la sauge et au comté

Tartare de thon frais aux agrumes

Un mix sucré-salé pour un tartare chic et choc. La clé du succès ? Choisissez un beau pavé de thon ultra-frais chez votre poissonnier et lancez-vous dans la recette *illico presto* !

400 g de filet de thon très frais
   et bien nettoyé

1 échalote

1 bouquet de ciboulette

1 citron jaune

1 pamplemousse rose

1 orange

1 cuil. à soupe d'huile d'olive

sel, poivre du moulin

Placez le filet de thon au congélateur pendant 15 min. Épluchez et hachez l'échalote. Ciselez la ciboulette.

Pelez les agrumes à vif avec un couteau tranchant : retirez la peau en coupant dans la chair en un mouvement circulaire afin d'éliminer tout le blanc. Toujours avec le couteau, prélevez les segments des fruits et réservez-les dans une passoire placée au-dessus d'un bol. Égouttez les segments d'agrumes pendant 10 min, puis coupez-les en petits cubes. Pour quatre personnes, il vous faut six segments de pamplemousse, douze segments d'orange et six segments de citron. Gardez le reste pour une salade de fruits ou tout autre usage de votre choix et n'oubliez pas de boire le jus.

Sortez le thon du congélateur et hachez-le au couteau, pas trop finement. Ajoutez l'échalote, les cubes d'agrumes, la ciboulette et l'huile d'olive. Salez et poivrez. Disposez sur les assiettes et servez immédiatement. Vous pouvez faire attendre ce tartare au réfrigérateur, mais pas plus de 30 min.

Ce tartare peut également être servi en amuse-bouche ou pour accompagner l'apéritif, dans des cuillères en porcelaine.

Crumble de dorade au basilic, févettes, girolles et chorizo

Un crumble salé riche en émotions pour les papilles. Je craque complè-tement pour la note *spicy* du chorizo. À tester de toute urgence !

La dorade :
4 filets de dorade de 150 g chacun,
    écaillés, avec la peau
2 cuil. à soupe d'huile d'olive
sel, poivre du moulin
Le crumble :
1 belle botte de basilic
huile pour friture
100 g de pain de mie séché,
    sans la croûte
100 g de beurre mou

100 g de farine
50 g de poudre d'amandes
sel, poivre du moulin
Les légumes :
1 kg de févettes écossées
250 g de petites girolles
1 petit bouquet de persil plat
1 échalote
2 cuil. à soupe d'huile d'olive
8 fines tranches de chorizo
sel, poivre du moulin

Préparez le crumble : effeuillez le basilic sans le laver. Faites chauffer l'huile et faites-y frire le basilic quelques secondes. Égouttez-les sur du papier absorbant. Passez le pain de mie au mixeur pour obtenir une chapelure. Mélangez le beurre et la farine avec le basilic émietté, puis la chapelure et la poudre d'amandes, un peu de sel et de poivre. Lorsque le tout prend une consistance sableuse, réservez-le.

Préparez les légumes : retirez la coque de chaque févette et nettoyez les girolles. Effeuillez le persil et hachez-le. Hachez l'échalote. Faites blanchir les févettes 1 min dans de l'eau bouillante salée, égouttez-les et plongez-les dans de l'eau contenant des glaçons. Retirez-les et égouttez-les de nouveau. Réservez tous les légumes.

Préchauffez le four à 150 °C (th. 5). Huilez la plaque, puis saupoudrez-la de sel et de poivre. Roulez les filets de dorade dans l'huile assaisonnée. Faites-les cuire 7 min, peau vers le haut. Sortez-les du four, retirez la peau. Étalez le crumble à la surface des filets en une croûte régulière. Allumez le gril du four et passez-y les filets de dorade 1 à 2 min.

Dans une poêle, faites chauffer l'huile d'olive. Ajoutez les girolles et faites-les sauter quelques minutes avec l'échalote. Ajoutez les févettes et le persil, mélangez le tout et fricassez-le dans la poêle. Ajoutez enfin le chorizo et faites sauter quelques instants. Servez le crumble de dorade au basilic avec la fricassée de févettes et de girolles au chorizo.

Noix de saint-jacques au lard, purée de châtaignes

Voici la recette festive par excellence : l'association saint-jacques et lard est top ! Et dire qu'en plus, ce plat se réalise en un tour de main...

La purée :

1 sachet de marrons cuits sous vide
  (environ 500 g)

50 g de beurre

1 cube de bouillon de volaille

15 cl de crème fraîche

sel, poivre du moulin

Les saint-jacques :

12 noix de saint-jacques nettoyées,
  sans leur corail

12 fines tranches de lard fumé,
  sans couenne ni cartilage

30 g de beurre

poivre du moulin

Le matériel :

12 cure-dents

Préparez d'abord la purée de châtaignes : videz le sachet de châtaignes dans une casserole. Ajoutez 20 g de beurre et le cube de bouillon, couvrez d'eau juste à hauteur, portez à ébullition et faites cuire 10 min sur feu doux. Égouttez les châtaignes en gardant le bouillon, passez-les au mixeur ou au moulin à légumes. Ajoutez le reste de beurre et la crème puis mélangez vivement avec une spatule en ajoutant du bouillon petit à petit jusqu'à ce que la purée ait la consistance que vous désirez. Rectifiez l'assaisonnement et gardez au chaud.

Enroulez chaque noix de saint-jacques dans une tranche de lard fumé et attachez-la avec un petit cure-dents, juste pour éviter qu'elle ne se déroule à la cuisson. Faites fondre le beurre dans une poêle antiadhésive et faites cuire les saint-jacques 2 min de chaque côté sur feu pas trop vif. Poêlez-les aussi brièvement côté lard fumé. Ne faites pas trop cuire les saint-jacques, poivrez-les, ne les salez pas (le lard est déjà salé) et servez-les avec la purée de châtaignes.

Mille-feuille de chèvre frais à la sarriette

On a tendance à associer le chèvre au basilic ou au romarin... Mais moi, ce que je préfère, c'est la sarriette qui donne un arôme inimitable à cette entrée. Allez humer cette herbe aromatique sur les étals des marchés, vous ne repartirez sûrement pas bredouille.

2 oignons rouges

2 aubergines rondes bien fermes

2 gousses d'ail

1 petit bouquet de sarriette fraîche

20 cl d'huile d'olive bien fruitée

1 cuil. à café de paprika

250 g de chèvre frais

1 bouquet de ciboulette

sel, poivre noir du moulin

Préchauffez le four à 160 °C (th. 5-6).

Épluchez les oignons, lavez et épluchez les aubergines. Coupez les aubergines et les oignons en fines tranches. Hachez finement l'ail.

Effeuillez les branches de sarriette et hachez les feuilles au couteau.

Mélangez l'huile d'olive, les deux tiers de la sarriette, l'ail haché, le paprika, du sel et du poivre. Posez les tranches d'aubergine et d'oignon sur une plaque garnie de papier sulfurisé. À l'aide d'un pinceau, enduisez d'huile aromatisée la surface des tranches d'aubergine et d'oignon, retournez-les et badigeonnez l'autre face. Faites cuire 30 min au four. Les légumes doivent être bien confits ; sinon, prolongez un peu la cuisson.

Sortez les légumes du four et badigeonnez-les à nouveau d'huile d'olive aromatisée. Laissez reposer 10 min.

Découpez le chèvre frais en tranches de 5 mm d'épaisseur environ. Découpez les tranches d'aubergine à peu près à la dimension des tranches de chèvre.

Sur quatre assiettes, déposez une tranche d'aubergine. Couvrez d'une tranche de chèvre, posez une tranche d'oignon sur le tout, recouvrez d'une tranche d'aubergine et procédez ainsi jusqu'à épuisement des ingrédients. Ajoutez quelques brins de ciboulette et arrosez du reste d'huile d'olive aromatisée. Parsemez du reste de sarriette hachée. Servez à température ambiante.

Salade de poulet caramélisé au miel

Je suis raide dingue de cuisine asiatique, c'est ce qui m'a poussé à relooker une banale salade de poulet en un plat haut en saveurs exotiques. Osez-la sans plus attendre et servez-la dans des bols avec des baguettes. C'est une recette toute simple et rapide à préparer !

La salade :

1 salade verte (laitue, frisée, chicorée, feuille-de-chêne...) lavée et essorée

1 avocat

2 tomates bien rouges

1 boule de mozzarella

4 ou 5 cuil. à soupe de vinaigrette simple (huile, vinaigre, un peu de moutarde, sel, poivre)

Le poulet :

4 blancs de poulet sans la peau

3 cuil. à soupe d'huile d'olive

2 cuil. à soupe de sauce de soja (Kikkoman®)

1 cuil. à café de miel

poivre du moulin

Épluchez l'avocat et coupez-le en dés. Pelez les tomates après les avoir ébouillantées quelques secondes et coupez-les en dés. Coupez la boule de mozzarella en dés.

Mélangez la salade avec les dés d'avocat, de tomate et de mozzarella, assaisonnez de vinaigrette, remuez bien et répartissez le tout sur les assiettes.

Coupez les blancs de poulet en gros cubes (environ 3-4 cm), faites chauffer l'huile d'olive dans un wok ou dans une poêle et faites-y sauter les blancs de poulet en les remuant sans arrêt. Quand ils sont devenus opaques, faites-les sauter encore 2 min pour qu'ils cuisent à cœur. Ajoutez la sauce de soja sur feu vif, puis le miel et faites sauter encore 30 sec.

Répartissez rapidement les cubes de poulet caramélisés sur la salade ainsi que le jus de cuisson. Servez immédiatement.

Ravioles de foie gras aux cèpes

Attention, je vous livre ici un secret jusqu'à maintenant bien gardé : ma recette de ravioles de foie gras est l'un de mes péchés mignons. Vous allez en bluffer plus d'un !

500 g de pâte à ravioles (ou à raviolis) ou, si vous ne la trouvez pas déjà préparée, suivez la recette ci-dessous.

La pâte à ravioles :

300 g de farine + un peu de farine pour le séchage de la pâte

3 œufs

1 pincée de sel

3 cuil. à soupe d'huile d'olive

La farce :

4 échalotes

80 g de jambon de Bayonne ou de Serrano

400 g de cèpes jeunes et fermes

2 cuil. à soupe d'huile d'olive

3 cuil. à soupe de crème liquide

2 cuil. à soupe de persil plat

1 lobe de foie gras de canard cru de 400 g, bien déveiné

La sauce :

2 cuil. à café de fond de volaille en poudre

les pieds des cèpes

30 cl de crème liquide

20 g de beurre

quelques pluches de ciboulette et de cerfeuil

sel, poivre du moulin

Préparez la pâte à ravioles : réunissez tous les ingrédients dans un saladier, mélangez-les et pétrissez la pâte pendant quelques minutes jusqu'à ce qu'elle ne colle plus aux doigts et soit souple mais ferme. Laissez-la reposer 1 h au frais, enveloppée de film étirable.

Préparez la farce : hachez les échalotes et le jambon. Nettoyez les cèpes, coupez les pieds et réservez-les. Faites blanchir les cèpes 1 min à l'eau bouillante salée et égouttez-les, puis coupez-les en petits dés.

Faites chauffer l'huile d'olive dans une poêle et faites-y sauter les cèpes quelques instants sur feu vif. Ajoutez les échalotes et le jambon, faites revenir jusqu'à ce que le mélange colore légèrement. Ajoutez la crème liquide, laissez cuire 15 min sur feu doux, puis salez légèrement et poivrez. Versez cette farce dans un bol. Hachez le persil et ajoutez-le à la farce. Laissez refroidir.

Préparez la sauce : délayez la poudre de fond de volaille dans 20 cl d'eau, ajoutez les pieds des cèpes, portez à ébullition et faites réduire de moitié. Filtrez à travers une passoire fine dans une petite casserole. Ajoutez la crème et faites encore réduire de moitié (environ 10 min). Ajoutez le beurre, salez, poivrez et gardez cette sauce au chaud.

>>> Étalez la pâte à ravioles très finement. Découpez dans la pâte seize carrés de 15 cm de côté. Laissez-les sécher 15 min au frais, saupoudrés de farine.

Préchauffez le four à 180°C (th. 6).

Taillez le lobe de foie gras en huit tranches d'1 cm d'épaisseur. Salez et poivrez ces tranches.

Confectionnez les ravioles : sur un carré de pâte, déposez 1 cuil. à soupe de farce aux cèpes. Recouvrez d'une tranche de foie gras. À l'aide d'un pinceau alimentaire trempé dans un peu d'eau, humidifiez les bords de la pâte tout autour de la farce, recouvrez d'un second carré de pâte et pressez pour faire adhérer parfaitement les deux couches de pâte. Procédez ainsi jusqu'à épuisement des ingrédients.

Faites cuire les ravioles environ 6 min à l'eau salée frémissante, puis égouttez-les et passez-les 2 ou 3 min au four. Disposez deux ravioles dans chaque assiette creuse.

Ajoutez le beurre à la sauce chaude, émulsionnez celle-ci au mixeur plongeant. Arrosez les ravioles de cette sauce, garnissez les assiettes de cerfeuil et de ciboulette et servez immédiatement.

Risotto de langoustines au pain d'épice et au chèvre

Des parcelles de chèvre fondantes, quelques langoustines rôties, le tout saupoudré de poudre de pain d'épice : un vrai péché mignon... Mmmmmm, j'adore !

4 fines tranches de pain d'épice	sel, poivre du moulin
1 kg de belles langoustines	**Le fumet :**
1 oignon	les têtes et les carapaces des langoustines
5 cuil. à soupe d'huile d'olive	1 feuille de laurier
250 g de riz rond italien pour risotto	1 branche de thym
(arborio ou carnaroli)	1 échalote
10 cl de vin blanc	1 gousse d'ail
150 g de fromage de chèvre frais	sel, poivre du moulin

Faites sécher les tranches de pain d'épice à four doux jusqu'à ce qu'elles soient très friables. Émiettez-les pour obtenir de la chapelure.

Décortiquez les langoustines avec des ciseaux en leur laissant la nageoire caudale. Retirez le boyau des queues et réservez les langoustines au frais sur une assiette. Rincez les têtes et les carapaces à l'eau fraîche. Couvrez-les de 1 l d'eau dans une casserole. Ajoutez le laurier, le thym, l'échalote et la gousse d'ail émincées. Salez légèrement et poivrez. Portez à ébullition et faites cuire 25 min sur feu doux. Filtrez et réservez.

Hachez finement l'oignon. Faites-le suer dans 3 cuil. à soupe d'huile d'olive sur feu doux pendant 5 min ; ajoutez le riz et faites-le revenir 2 min en remuant avec une spatule. Ajoutez le vin blanc, laissez évaporer en mélangeant. Ajoutez deux louches de fumet et laissez encore évaporer. Continuez la cuisson pendant 25 min environ, en ajoutant du fumet au fur et à mesure que le riz l'absorbe.

Quand le riz est tendre mais encore légèrement ferme à cœur, le risotto est cuit. Il doit être un peu liquide, surtout pas sec. Hors du feu, ajoutez la moitié du chèvre frais coupée en petits morceaux ; mélangez bien, couvrez et réservez.

Faites chauffer le reste d'huile d'olive dans une poêle et faites-y dorer doucement les langoustines 1 min de chaque côté. Salez et poivrez.

Servez le risotto garni du reste de chèvre frais coupé en tranches et des langoustines poêlées. Saupoudrez de chapelure de pain d'épice.

Terrine de foie gras sur pain d'épice

Le pain d'épice, j'en mets à toutes les sauces : dans mon risotto de langoustines (voir ci-contre), avec du Nutella® pour un petit encas et, ici, l'alliance parfaite, avec une belle tranche de foie gras : c'est sublime !

400 g de terrine de foie gras de canard
pain d'épice
Le mélange fruité :
150 g de chair d'ananas frais
150 g de chair de mangue
200 g de dattes
50 g de sucre
1 cuil. à soupe de vinaigre de vin
fleur de sel, poivre du moulin

Coupez l'ananas et la mangue en petits dés. Dénoyautez les dattes et coupez la chair en petits morceaux.

Faites fondre le sucre dans une poêle avec quelques gouttes d'eau et préparez un caramel. Déglacez avec le vinaigre et ajoutez encore un peu d'eau pour bien détendre le caramel. Ajoutez les fruits et faites cuire environ 20 min sur feu doux jusqu'à obtention d'une compote bien caramélisée. Laissez tiédir.

Pendant ce temps, coupez des tranches de pain d'épice et de foie gras.

Étalez le mélange fruité sur les tranches de pain d'épice, puis déposez les tranches de foie gras dessus.

Servez le tout saupoudré de fleur de sel et de poivre du moulin.

Salade de homard aux figues fraîches

J'adore marier homard et figues fraîches. Avec quelques copeaux de courgette et une poignée de noix de cajou, vous obtiendrez une salade qui en jette pour les soirs de fête !

1 homard cuit de 800 g environ	**La vinaigrette :**
6 figues noires fraîches	le jus d'1/2 citron
3 cœurs de laitue (sucrines)	5 cuil. à soupe d'huile d'olive
1 courgette bien ferme	1 cuil. à soupe d'eau
60 g de noix de cajou grillées	sel, poivre du moulin
1 bouquet de ciboulette	

Décortiquez le homard en prélevant la queue et la chair des pinces. Coupez la chair en tranches de 5 mm d'épaisseur environ.

Lavez les figues, essuyez-les et coupez le pédoncule. Coupez les figues en quartiers.

Effeuillez, lavez et essorez les cœurs de laitue.

Lavez la courgette et taillez-la en longs copeaux à l'aide d'un économe.

Dans des assiettes ou dans un plat, disposez les feuilles de laitue. Disposez sur ce lit les tranches de homard et les figues fraîches le plus joliment possible. Ajoutez les copeaux de courgette et les noix de cajou ; garnissez de ciboulette ciselée.

Mélangez le jus de citron, le sel et le poivre. Ajoutez, en fouettant, l'huile d'olive et enfin l'eau pour émulsionner. Versez cette vinaigrette sur la salade de homard et servez sans attendre.

Gigot de sept heures

Impossible de faire l'impasse sur cette recette qui mijote 7 h au bas mot. Avec cette cuisson lente, on obtient une viande ultra-fondante. Le tout, c'est de faire preuve de patience...

1 beau gigot d'agneau de 3 kg, raccourci,
    piqué de lard (voir recette)
3 têtes d'ail
1 carotte
1 petit bouquet de thym
4 feuilles de laurier
quelques branches de persil plat
1 branche de romarin ou de sarriette

10 cl d'huile d'olive
20 cl de vin blanc moelleux
    (jurançon, monbazillac, etc.)
1 cube de bouillon de bœuf
sel fin, gros sel, poivre noir concassé
Le matériel :
1 grande cocotte ovale en fonte capable
    de contenir le gigot et les garnitures

Demandez à votre boucher de raccourcir le gigot et de vous donner les parures et l'os de la selle. Demandez-lui également de piquer le gigot de 200 g de lard gras.

De retour chez vous, déposez le gigot dans la cocotte. Faites bouillir une grande quantité d'eau salée et versez-la sur le gigot de façon à le recouvrir complètement. Laissez reposer 15 min, puis sortez le gigot et videz l'eau de la cocotte. Égouttez et séchez le gigot, essuyez la cocotte.

Préchauffez le four à 90 °C (th. 3).

Épluchez les gousses des têtes d'ail. Épluchez la carotte et coupez-la en tranches. Liez en bouquet garni le thym, le laurier, le persil et le romarin ou la sarriette.

Faites chauffer l'huile d'olive dans la cocotte. Faites-y dorer le gigot sur toutes ses faces, puis arrosez-le du vin blanc. Faites bouillir 50 cl d'eau et délayez-y le cube de bouillon. Versez le tout sur le gigot. Ajoutez les gousses d'ail et les tranches de carotte tout autour du gigot, puis mettez le bouquet garni dans la cocotte. Salez au gros sel et saupoudrez de poivre concassé.

Couvrez hermétiquement la cocotte et mettez-la au four. Faites cuire au moins 7 h en surveillant bien la cuisson et en retournant le gigot de temps en temps (environ toutes les heures et demie). Si le jus de cuisson réduit trop, ajoutez de l'eau chaude.

La cuisson terminée, dressez le gigot sur un plat. Retirez le bouquet garni. Passez le contenu de la cocotte au mixeur (jus de cuisson, gousses d'ail, carotte) et servez cette sauce à part. Le gigot est si tendre qu'il se sert à la cuillère.

Filet mignon de porc à la sauge et au comté

Le filet mignon, c'est déjà super tendre. Alors imaginez-le truffé de lamelles fondantes de comté. Pour moi, c'est carrément le Nirvana !

2 filets mignons de porc de 500 g chacun

200 g de comté

1 bouquet de sauge fraîche

huile d'olive

15 cl de vin blanc sec

20 g de beurre

sel, poivre du moulin

Le matériel :

de la ficelle de cuisine

Préchauffez le four à 180 °C (th. 6).

Incisez les filets horizontalement à la moitié de leur hauteur, sur toute leur longueur mais sans traverser la viande. Ouvrez les filets mignons en portefeuille. Salez et poivrez.

Coupez le comté en lamelles et effeuillez la sauge. Déposez les lamelles de comté à l'intérieur des filets sur toute leur longueur, sans les placer trop près du bord et en les alignant contre le pli. Recouvrez de feuilles de sauge, puis du reste de lamelles de comté. Repliez les filets mignons pour reconstituer leur forme. Ficelez-les avec de la ficelle de cuisine et déposez-les dans un plat à four huilé. Ajoutez le vin blanc, posez des noisettes de beurre sur les filets mignons et faites cuire environ 40 min au four en arrosant toutes les 10 min. Ajoutez un peu d'eau dans le plat si le jus de cuisson s'évapore trop vite.

Sortez le plat du four, dressez les filets sur un plat et gardez-les au chaud. Déglacez le jus de cuisson avec un peu d'eau.

Découpez les filets mignons en grosses tranches, nappez-les de la sauce et servez, par exemple, avec une purée.

La petite touche du chef

Vinaigrette de légumes au curry
Vinaigrette à la sauce de soja
Vinaigrette au sauternes
Vinaigrette à la menthe en aigre-doux
Vinaigrette à l'orange
Citrons confits au sel
Oignons confits

Préparation : **20 min** - Cuisson : **4 min** - Pour **4** personnes

Vinaigrette de légumes au curry

Certes, couper les légumes en petits dés demande un minimum de concentration et d'efforts mais le jeu en vaut largement la chandelle. Avec une pointe de curry, cet assaisonnement deviendra l'allié de toutes vos grillades, mais essayez-le avec mes croquettes coulantes de mozzarella (voir p. 40) : un délice !

2 gousses d'ail

1 échalote

1 petite courgette

1/4 de concombre

2 tomates pelées

les feuilles de 3 branches de menthe fraîche

1 cuil. à soupe de poudre de curry

6 cuil. à soupe d'huile d'olive

le jus d'1 citron

1 cuil. à soupe de yaourt nature

sel, poivre du moulin

Émincez finement l'ail et l'échalote.

Épluchez les légumes, taillez-les en très petits dés. Ciselez très finement les feuilles de menthe.

Dans une poêle, sur feu doux, faites cuire l'ail et l'échalote avec le curry dans 1 cuil. à soupe d'huile d'olive pendant 2 min ; ajoutez les dés de courgette et faites cuire encore 2 min. Retirez du feu et laissez tiédir.

Ajoutez enfin les autres légumes, la menthe, le reste d'huile d'olive, le jus de citron et le yaourt. Salez et poivrez. Conservez au frais.

Préparation : **5 min** - Cuisson : **20 min** - Pour **4** personnes

Vinaigrette à la sauce de soja

Pour rendre toutes vos salades aphrodisiaques, misez sur cette vinaigrette truffée de gingembre frais râpé... Et plus si affinités !

20 cl de vinaigre balsamique (pour obtenir 2 cuil. à soupe de caramel)
1 cuil. à soupe de sauce de soja japonaise (Kikkoman®)
1 cuil. à soupe de jus de citron
1 pointe de couteau de gingembre frais râpé
5 cuil. à soupe d'huile d'olive

Reportez-vous à la recette de la tarte aux fraises (voir p. 128) pour préparer le caramel de balsamique.
Une fois le caramel obtenu, laissez-le tiédir et prenez-en 2 cuil. à soupe. Délayez celles-ci avec la sauce de soja et le jus de citron puis ajoutez le gingembre.
Versez l'huile d'olive en battant doucement, sans mixer, afin que le mélange ne soit pas trop homogène.
Conservez au frais.

Préparation : **5 min** - Cuisson : **30 min** - Pour **15 cl** environ

Vinaigrette au sauternes

Voici une vinaigrette aux notes alcoolisées que j'adore servir avec une salade croquante de haricots verts et copeaux de foie gras.

50 cl de vin de Sauternes
10 cl d'huile d'olive
le jus d'1 citron
sel, poivre du moulin

Faites bouillir et réduire le sauternes jusqu'à ce qu'il ait la consistance d'un sirop.
Laissez-le refroidir.
Ajoutez l'huile d'olive en fouettant, puis le jus de citron.
Salez et poivrez à votre goût.
Conservez au frais.

Préparation : **5 min** - Pour **4** personnes

Vinaigrette à la menthe en aigre-doux

Une véritable fraîcheur mentholée combinée à la douceur du miel. Mon petit plus ? Mélanger vinaigre de riz et vinaigre de vin blanc : c'est carrément bon !

4 feuilles de menthe fraîche

2 cuil. à soupe de miel

1 cuil. à soupe de vinaigre de vin blanc

1 cuil. à soupe de vinaigre de riz (dans les épiceries asiatiques)

5 cuil. à soupe d'huile d'arachide

sel, poivre du moulin

Ciselez les feuilles de menthe fraîche en très fines lanières.
Mélangez, dans l'ordre, le miel, les deux vinaigres, du sel, du poivre et ajoutez enfin, en fouettant, l'huile d'arachide et la menthe.
Conservez au frais.

Préparation : **5 min** - Cuisson : **30 min** environ - Pour **15 cl** environ

Vinaigrette à l'orange

Là, ce qui me plaît, ce sont les notes acidulées de l'orange qui apporteront un zeste d'originalité à tous vos poissons.

50 cl de jus d'orange

10 cl d'huile d'olive

1 cuil. à soupe de jus de citron

sel, poivre du moulin

Faites bouillir et réduire le jus d'orange jusqu'à ce qu'il ait la consistance d'un sirop.
Laissez-le refroidir.
Ajoutez l'huile d'olive en fouettant, puis le jus de citron.
Salez et poivrez à votre goût.
Conservez au frais.

Citrons confits au sel

Je me sers tout le temps de ces citrons confits dans mes recettes. Ça rehausse n'importe quel plat... Mais surtout, ayez la main légère, ils ne doivent pas prendre le pas sur les autres saveurs mais juste apporter une petite touche gustative.

10 petits citrons jaunes

200 g de gros sel environ

1 bâtonnet de cannelle

3 clous de girofle

6 graines de coriandre

4 grains de poivre noir

1 feuille de laurier

2 kg environ de citrons pour le jus

Faites tremper les citrons trois jours dans de l'eau froide en changeant l'eau tous les jours.

Égouttez et séchez les citrons. Fendez-les en quatre dans le sens de la longueur en vous arrêtant à 1,5 cm de l'extrémité supérieure. Farcissez-les de gros sel et reformez chaque fruit. N'oubliez pas de recueillir tout le jus de citron qui peut s'écouler.

Garnissez le fond du ou des bocaux d'une fine couche de gros sel. Introduisez les citrons en couches, en ajoutant entre chaque couche du sel et des épices. Appuyez bien sur les citrons pour les faire tenir dans le bocal. Ajoutez le liquide rendu par les citrons et complétez-le avec du jus de citron frais que vous pressez selon vos besoins. Il est important que les citrons soient entièrement couverts de jus.

Laissez mûrir les citrons dans leur bocal environ trente jours dans un endroit tiède. Secouez le bocal chaque jour.

Les citrons confits se conservent un an. Vous vous servirez des fruits, mais aussi du jus salé pour assaisonner les salades, les vinaigrettes, etc. Chaque fois que vous vous servez des citrons confits, souvenez-vous qu'ils sont très salés et tenez-en compte pour l'assaisonnement de vos plats.

Préparation : **15 min** - Cuisson : **1 h** - Pour **4** personnes

Oignons confits

Avec cette recette, vos oignons deviendront tellement doux que vous aurez envie de les mettre à toutes les sauces. Alors, faites-les à l'avance et ressortez-les à tout va : avec un toast de pâté de campagne ou une belle côte de bœuf.

1 kg d'oignons

6 cuil. à soupe d'huile d'olive

6 cuil. à soupe de vinaigre de jerez ou de vinaigre de vin rouge

1 belle branche de thym

1 feuille de laurier

6 cuil. à soupe de sucre

sel, poivre du moulin

Vous pouvez utiliser, pour cette recette, soit des oignons de taille normale, soit de petits oignons grelots. La préparation est la même. Épluchez les oignons, coupez les gros en tranches et laissez les petits entiers.

Dans une sauteuse, faites chauffer l'huile et faites-y cuire les oignons, sur feu doux, sans les laisser colorer. Lorsqu'ils sont translucides (ou, pour les petits oignons, quand ils commencent à s'assouplir), ajoutez le vinaigre, le thym, le laurier, le sucre et laissez réduire sur feu très doux pendant 40 min jusqu'à ce que les oignons soient confits mais non brûlés. Salez et poivrez.

Ces oignons accompagnent viandes et grillades – par exemple la côte de bœuf (voir p. 74) ou le foie de veau poêlé. Ils peuvent aussi garnir une tarte à l'oignon mais, dans ce cas, faites d'abord cuire la pâte à blanc (12 min au four), garnissez-la d'oignons et finissez la cuisson 5 min au four.

Table des recettes

Table des matières

Merci

à mes parents et à ma sœur pour leur soutien dans mes aventures gourmandes ;
à Stephen Bateman, pour sa confiance renouvelée;
à Brigitte Éveno, quel plaisir de partager ces réunions avec toi ;
à Raphaële & Jennifer pour leur collaboration précieuse ;
à Aude & Leslie, petites fées qui savent si bien me faire parler ;
à Sophie Brissaud, grande cuisinière qui a su rendre lisibles mes recettes ;
à Mickaël Roulier, photographe au talent immense, ton nouvel appareil est top !
à Emmanuel Turiot, mais comment fais-tu pour sublimer ma cuisine aussi bien ?...
à Philippe Vaurès-Santamaria, c'est toujours un plaisir de faire des photos avec toi ;
à Mateo, toujours aussi créatif ;
à Johanna Rodrigues & Camille Carlier, attachées de presse hors pair ;
à Nicolas Chatenier, mon agent qui me supporte tous les jours ;
à Helena & Pierre pour leur gentillesse, leur soutien et cette force qui nous unit ;
à Laurence Mentil, ma petite assistante ;
à tous les grands chefs qui me soutiennent :
Jacques & Laurent Pourcel, Nicole & Bruno Fagegaltier, Éric Fréchon,
Frédéric Anton, Alain Passard, Philippe Conticini...
à Sébastien Zibi, réalisateur hors pair ;
à Fremantle & M6 qui m'accompagnent dans mes rêves culinaires ;
à tous mes amis – ils se reconnaîtront, et à tous ceux qui, de près ou de loin,
me permettent de continuer mon rêve.

Mickaël Roulier & Emmanuel Turiot remercient Amélie Roche.

L'éditeur remercie
les enfants qui sont venus cuisiner avec Cyril : Adèle, Ambre, Axelle, Chloé, Emma,
Emmanuelle, Louis, Ninon, Patrick et Jérémy, ainsi que leurs parents ;
toutes les personnes qui ont participé à l'apéritif ;
la boutique Izraël (30 rue François-Miron, Paris 4) pour son accueil si chaleureux ;
toute l'équipe du restaurant Le Quinzième, cuisine attitude pour nous avoir reçus,
ainsi que la brigade ;
Édith Bernez, chez Philips ;
Ferrero®.

Hachette remercie Philips pour la qualité du matériel prêté :
un blender Aluminium HR2094/00, un grille-pain Aluminium HD2618/00,
une bouilloire Aluminium HD4690/00, un Senseo Aluminium HD7840/01.

Reproduction de la marque Kiri® avec l'aimable autorisation de Fromageries Bel s.a.

Chloé, Louis, Ninon, Axelle, Emmanuelle, Ambre, Emma, Adèle

Direction : Stephen Bateman et Pierre-Jean Furet
Responsables éditoriales : Brigitte Éveno et Raphaële Wauquiez
Conception graphique et réalisation : Mateo Baronnet
Correction : Marie-Charlotte Buch-Müller
Fabrication : Amélie Latsch
Partenariats : Sophie Augereau (01 43 92 36 82)
L'éditeur remercie Jennifer Joly pour son aide précieuse et ses relectures attentives.

Photogravure : Reproscan, Italie
Imprimé en Espagne - Produit complet Graficas Estella

Dépôt légal : avril 2006
ISBN : 2-01-23-5836-5
23-27-5836-01-4